BRITANNICUS

LIRE ET VOIR LES CLASSIQUES

collection dirigée par Claude AZIZA

RACINE

BRITANNICUS

Préface et commentaires par
Emmanuel MARTIN

PRESSES POCKET

Le dossier iconographique a été réalisé par
Anne GAUTHIER et Matthieu KERROUX

ISBN 2-266-04901-1

PRÉFACE

« Et ce sont ces plaisirs et ces pleurs que j'envie. »

Racine, *Britannicus*, vers 659.

« Le désespoir de Néron n'est pas celui d'un homme qui a perdu sa maîtresse ; c'est le désespoir d'un homme condamné à vieillir sans jamais naître. »

Barthes, *Sur Racine*.

Racine contre Corneille

Lorsqu'il fait représenter pour la première fois *Britannicus* à l'hôtel de Bourgogne en décembre 1669, Racine sait depuis plusieurs années que s'il veut parvenir dans le monde, ce sera par le théâtre. Après l'échec de *La Thébaïde* en 1664, dont le tragique sombre rencontre peu de faveur auprès du public, il montre, avec *Alexandre*, tragédie plus galante que grecque, qu'il sait s'adapter au goût de ses contemporains. En enlevant sa pièce à Molière, qui l'avait soutenu dans ses débuts, pour la donner à l'hôtel de Bourgogne, troupe plus prestigieuse dans le registre tragique, il montre aussi qu'il est pressé d'« arriver ». Sa rupture éclatante avec les jansénistes en 1666 est certes due à la condamnation sans appel du théâtre par Nicole. Mais il n'a pas dû être insensible non plus aux avances de l'archevêché de Paris parti en guerre contre ces Messieurs de Port-Royal. Il ne tirera d'ailleurs aucun bénéfice de ces deux « trahisons ». Elles serviront plutôt à alimenter le mythe d'une « méchanceté » racinienne, se manifestant ici plus particulièrement à travers l'« ingratitude » (cf.

dans notre dossier, p. 139, le texte d'A. Adam). En tout cas, Racine comprendra désormais que, dans l'univers où il veut entrer, il est préférable d'avancer « à petit bruit ». Ce qu'il saura très bien faire, puisque, après une brève « traversée du désert », on le retrouvera parmi les protégés de Mme de Montespan, maîtresse en titre du roi.

En 1667, c'est le succès, à la Cour comme à la ville, de son premier chef-d'œuvre, *Andromaque*[1]. Succès qui alarme sérieusement les opposants à Racine, en particulier le clan cornélien. En 1668, sa comédie des *Plaideurs* échouera devant le public parisien mais fera rire le roi. La Cour... et les Parisiens ne pourront que suivre ! Mais cette comédie n'est qu'un intermède dans le « plan de carrière » de Racine. Les partisans de Corneille avaient été obligés de reconnaître le talent et le ton nouveau qui se manifestaient dans *Andromaque* ; mais, pour la rabaisser, ils affectaient de n'y voir qu'une variante plus réussie des tragédies à la Quinault, et ils déniaient à son auteur la faculté d'atteindre au sublime de la tragédie historique et politique de Corneille.

C'est très précisément sur ce terrain que Racine va lancer son attaque avec *Britannicus.* D'abord en allant chercher son sujet chez le plus grand, le plus incontestable des historiens romains, Tacite. Dans la préface de 1670, très polémique, il répond aux objections qui lui sont faites, cite Tacite et lance quelques pointes perfides à l'égard de Corneille. Dans celle de 1676, beaucoup plus apaisée — sa *Bérénice* a écrasé le *Tite et Bérénice* de Corneille, et il a fait son entrée à l'Académie française en 1673 —, c'est essentiellement sur l'ancrage de sa pièce dans Tacite (cité douze fois) qu'il insiste. En effet, *Britannicus* est bien une tragédie historique, politique et romaine. Comme l'étaient, par exemple, *Horace*[2] ou *Cinna*, pour ne citer que deux des pièces romaines les plus célèbres de son devancier.

Mais cela n'empêche pas que la pièce racinienne ne mette

1. Disponible dans la même collection.
2. Disponible dans la même collection.

en scène un univers, une vision du monde, de l'histoire et de l'homme qui sont bien éloignés de la tragédie cornélienne. La « romanité » de *Britannicus* ne doit pas faire illusion : la tragédie romaine de Racine est d'abord, et fondamentalement, comme on le verra plus loin, racinienne.

Britannicus, héros tragique ?

Le lecteur ou le spectateur d'aujourd'hui a quelque mal à comprendre pourquoi Racine a choisi de donner le nom de Britannicus à sa pièce. Son discours amoureux nous semble bien fade, plus imprégné de la galanterie romanesque de l'époque que suscité par une passion vraiment « tragique ». Sa myopie, sinon sa cécité, politique frôle le ridicule : la seule dont il se défie est Junie, le seul en qui il ait une confiance entière est Narcisse !... Quand il se vante de pouvoir entraîner Agrippine « plus loin qu'elle ne veut » (vers 358), on demeure plus que sceptique. Plus globalement, qu'il s'agisse de désir ou de pouvoir, de son amour pour Junie ou de sa volonté de reprendre à Néron le trône impérial, Britannicus ne cesse d'être en complet décalage avec le réel, ce qui entraîne des effets d'ironie dramatique qui parfois frôlent le comique (le rôle n'est pas facile à jouer !). Par certains côtés le personnage nous apparaît un peu comme un pastiche de héros cornélien égaré dans une tragédie racinienne : ainsi dans sa grande scène de « bravade » vis-à-vis de Néron devant Junie (III, 8). Défi héroïque, peut-être, inconscient et un rien histrion, certainement. Junie, elle, ne s'y trompe pas. Mais il est vrai que pour l'intelligence et la lucidité politiques, elle ne ressemble en rien à celui qu'elle aime.

En fait, pour comprendre le choix racinien, il faut replacer la pièce dans son époque. En 1669, on lui avait reproché, comme il l'écrit dans sa première préface, d'avoir « choisi un homme aussi jeune que Britannicus pour le héros d'une tragédie ». Il s'en justifie en rappelant que, selon Aristote, le héros tragique doit avoir « quelque imperfection ». Ainsi, sa « jeunesse » comme sa « crédulité » sont des faiblesses, certes, mais elles ont l'éminent mérite « d'exciter la compassion » du spectateur. Ici Racine s'inscrit dans une tradition qui restera vivace jusqu'à la fin du XVIIIe siècle : le héros tragique est un héros pathétique, il doit faire pleurer. Voltaire considère encore que Britannicus est le héros central de la pièce.

Mais cela n'empêche pas Racine d'être bien conscient du fait que son couple de « fauves » — pour reprendre le terme de L. Goldmann —, Néron et Agrippine, est au moins aussi important que leur victime. Dans sa seconde préface il précise que sa « tragédie n'est pas moins la disgrâce d'Agrippine que la mort de Britannicus ». Quel que soit le jugement que l'on peut porter sur l'individualité du personnage de Britannicus, il n'en est pas moins, *fonctionnellement*, au centre de l'intrigue de la pièce : c'est parce qu'il doit épouser Junie que Néron la fait enlever, c'est parce qu'il complote avec Agrippine (et qu'il est aimé de Junie) que Néron le fait tuer. C'est par ce meurtre inaugural que Néron « naît » enfin à la monstruosité qui sommeillait en lui. Junie « meurt au monde » en se retirant chez les Vestales. Et, à l'horizon, après bien d'autres morts, se profilent le matricide et le suicide de Néron lui-même.

Racine et l'histoire

On a déjà vu tout le soin que prend Racine dans ses préfaces pour bien marquer la fidélité de sa pièce à l'histoire romaine et à son historien le plus prestigieux, Tacite. On laissera de côté les quelques libertés qu'il prend, quoi qu'il en dise, avec cette histoire. Peu importe que l'authenticité de sa Junie, par exemple, soit plus que douteuse. Le grand Corneille, comme il le fait remarquer, n'est pas toujours d'une exactitude scrupuleuse. Le plus important est la conception racinienne de l'histoire qui préside à la mise en scène qu'il en fait dans *Britannicus*. C'est là que Racine se démarque radicalement de Corneille.

Pour Corneille, le politique et l'historique sont deux dimensions fondamentales du *faire* humain. Que l'homme veuille intervenir dans l'histoire, et se faire en la faisant, est une ambition naturelle où il y va de sa « gloire » ; et l'on sait que chez Corneille la « gloire » personnelle n'est en rien contradictoire avec la vertu. Rien de tel chez Racine, dont la vision du monde et de l'histoire est aux antipodes de l'optimisme cornélien. Dans *Britannicus*, il apparaît en toute clarté que l'histoire et la politique sont le lieu de l'illusion et de l'inauthenticité. Britannicus, lui, croit en ces leurres que sont le pouvoir et le désir : on pourrait régner, aimer et être vertueux. Il en mourra. Burrhus tentera de convaincre Néron que c'est dans le bonheur des Romains et l'amour qu'ils lui renvoient qu'il peut atteindre la pleine réalisation de son être. Mais Narcisse n'aura pas de mal à lui démontrer le mensonge de ce faux amour d'une tourbe esclave. Chez Corneille, Rome était une valeur. Chez Racine, et là nous retrouvons l'influence janséniste, rien ici-bas ne peut être valeur. C'est ce que comprend très vite Junie — qui, avec Narcisse, est le personnage le plus lucide de la pièce —, et c'est sur son retrait du monde que se clôt la pièce.

Quant à Agrippine, qui a toujours su que le pouvoir était inséparable du Mal, sa vision de l'histoire, elle l'expose sans fard dans sa longue réplique de la scène 2 de l'acte IV : à quoi se réduit l'histoire de Rome qu'elle retrace à son fils ? À des « histoires » de « lit » (vers 34, 37, 78, 1127 et 1216). Pascal ne disait rien d'autre dans ses *Pensées* avec son « nez de Cléopâtre » : « Qui voudra connaître à plein la vanité de l'homme n'a qu'à considérer les causes et les effets de l'amour. La cause en est *un je ne sais quoi* (Corneille), et les effets en sont effroyables. Ce *je ne sais quoi*, si peu de chose qu'on ne peut le reconnaître, remue toute la terre, les princes, les armes, le monde entier.

« Le nez de Cléopâtre : s'il eût été plus court, toute la face de la terre aurait changé. »

Le pathétique du monstre

En fait, l'histoire selon Racine est dans la droite ligne de la métaphysique janséniste : il n'est pas d'histoire, de devenir véritable. Depuis le péché originel, depuis la Chute, l'histoire de l'homme, sous des masques divers, ne fait que répéter l'origine, c'est-à-dire la Faute. Une seule issue : renoncer à ce monde — ce que fait Junie — en espérant que Dieu vous a choisi pour être parmi les « élus » (cf. dans le dossier, p. 110, Note sur le jansénisme).

Plus tard, dans sa *Phèdre*[1] (1677), Racine mettra en scène ce que les jansénistes appellent un « juste pécheur », c'est-à-dire un être (ici Phèdre) que Dieu n'a pas choisi et qui, malgré son horreur du péché, se laissera piéger par lui et mourra damné. Bien sûr, il y a loin de Phèdre à Néron. Celui-ci n'est en rien un « juste pécheur ». Racine insiste sur le fait qu'il a « toujours été un très méchant homme », et même lorsque nous le voyons (IV, 3) prêt à faire le choix que lui propose Burrhus : être vertueux et aimé de son peuple, c'est plus le rapport personnel qu'il a à son gouverneur qui le fait céder, qu'une réelle intériorisation d'un impératif moral. C'est par faiblesse qu'il promet d'être bon, et Narcisse, dès la scène suivante, saura lui faire choisir la voie du Mal.

Mais le parallèle entre les deux personnages n'est pas absurde, si on les situe dans le cadre de la vision janséniste du rapport de l'homme à Dieu. Néron « est » un monstre, Phèdre pécheresse se voit elle-même comme un monstre (le motif du monstre est d'ailleurs récurrent tout au long de la pièce). Tous deux, et c'est ici que se trouvent leur parenté la plus profonde et le pathétique métaphysique le plus fort, tous deux sont à la fois victimes de leur hérédité et cependant comme « orphelins » — c'est-à-dire, métaphoriquement, abandonnés par la Divinité. Au début de la pièce Phèdre ose à peine lever les yeux vers son grand-père, le Soleil. Plus tard elle imaginera son père Minos, juge aux Enfers, lui « cherchant un supplice nouveau ». Quant à sa mère, c'est la monstrueuse Pasiphaé, mère du Minotaure. Du côté de Néron, même monstruosité maternelle avec Agrippine, mère castra-

1. Disponible dans la même collection.

trice qui ne voit dans son fils que l'outil qui lui permet d'assouvir sa seule passion, le pouvoir. Le père de Néron ? Il en a deux, l'un biologique, Domitius, obscur et méprisé, l'autre adoptif, l'empereur Claude. Mais celui-ci ne l'a adopté que sur les instances pressantes d'Agrippine, et il s'apprêtait d'ailleurs, s'il faut en croire cette dernière (vers 1173-1177), à le renier et à rétablir Britannicus dans ses droits. Son nom même n'est pas le sien, mais celui de son glorieux grand-père *maternel*, Germanicus *Nero*, que Claude a consenti à lui attribuer pour compenser la défaillance paternelle.

Sans amour maternel, sans amour, sans loi, sans nom du père, Néron pouvait-il faire partie du monde des humains ? Dans la pièce de Racine, il l'espérera un court instant, même si c'est à travers une fantasmatique perverse, quand il tombe amoureux de Junie. Junie, la « vierge consolatrice » comme dit Barthes, celle avec qui il rêverait de « pouvoir pleurer ». Mais de cet amour aussi il est exclu. « J'aime Britannicus. Je lui fus destinée. » Cette réponse de Junie à Néron lui signifie que l'exclusion de l'amour est aussi un destin.

Le destin a décidé que Néron ne serait pas aimé. Néron choisira donc la solution narcissienne : à défaut d'être aimé se faire craindre, être libre dans et par le Mal. Mais peut-on choisir ? Le choix du Mal permet-il vraiment enfin d'être libre ? Agrippine, dans sa célèbre tirade de la scène 6 du dernier acte, en lui prophétisant tous ses crimes à venir, jusqu'à son propre suicide, le frustrera de sa dernière illusion en transformant cette liberté, elle aussi, en destin [1].

1. On notera qu'en 1669 Racine pouvait jouer sur le fait que son public avait bien sûr lu Tacite et Suétone et connaissait parfaitement ce qui allait suivre. Le spectateur se trouvait ainsi dans la position du « Dieu caché » janséniste, qui regarde l'être humain se débattre en vain pour être libre, alors que sa destinée est déjà fixée.

BRITANNICUS

À MONSEIGNEUR LE DUC DE CHEVREUSE[1]

Monseigneur,

Vous serez peut-être étonné de voir votre nom à la tête de cet ouvrage ; et si je vous avais demandé la permission de vous l'offrir, je doute si je l'aurais obtenue. Mais ce serait être en quelque sorte ingrat que de cacher plus longtemps au monde les bontés dont vous m'avez toujours honoré. Quelle apparence qu'un homme qui ne travaille que pour la gloire se puisse taire d'une protection aussi glorieuse que la vôtre ? Non, Monseigneur, il m'est trop avantageux que l'on sache que mes amis mêmes ne vous sont pas indifférents, que vous prenez part à tous mes ouvrages, et que vous m'avez procuré l'honneur de lire celui-ci devant un homme dont toutes les heures sont précieuses[2]. Vous fûtes témoin avec quelle pénétration d'esprit il jugea de l'économie de la pièce, et combien l'idée qu'il s'est formée d'une excellente tragédie est au-delà de tout ce que j'en ai pu concevoir. Ne craignez pas, Monseigneur, que je m'engage plus avant, et que n'osant le louer en face, je m'adresse à vous pour le louer avec plus de liberté. Je sais qu'il serait dangereux de le fatiguer de ses louanges ; et j'ose dire que cette même modestie, qui vous est commune avec lui, n'est pas un des moindres liens

1. Le duc de Chevreuse, gendre de Colbert, avait fait ses études à Port-Royal et s'y était lié avec Racine. Cette dédicace discrète va dans le sens de ceux qui estiment que la pièce n'est pas étrangère à l'univers janséniste (cf. Préface, et dans le dossier : Goldmann, etc.).
2. Colbert.

qui vous attachent l'un à l'autre. La modération n'est qu'une vertu ordinaire quand elle ne se rencontre qu'avec des qualités ordinaires. Mais qu'avec toutes les qualités et du cœur et de l'esprit, qu'avec un jugement qui, ce semble, ne devrait être le fruit que de l'expérience de plusieurs années, qu'avec mille belles connaissances que vous ne sauriez cacher à vos amis particuliers, vous ayez encore cette sage retenue que tout le monde admire en vous, c'est sans doute une vertu rare en un siècle où l'on fait vanité des moindres choses. Mais je me laisse emporter insensiblement à la tentation de parler de vous. Il faut qu'elle soit bien violente, puisque je n'ai pu y résister dans une lettre où je n'avais autre dessein que de vous témoigner avec combien de respect je suis,

Monseigneur,

Votre très humble et très obéissant serviteur,

Racine.

PREMIÈRE PRÉFACE
(1670)

De tous les ouvrages que j'ai donnés au public, il n'y en a point qui m'ait attiré plus d'applaudissements ni plus de censeurs que celui-ci. Quelque soin que j'aie pris pour travailler cette tragédie, il semble qu'autant que je me suis efforcé de la rendre bonne, autant de certaines gens se sont efforcés de la décrier. Il n'y a point de cabale qu'ils n'aient faite, point de critique dont ils ne se soient avisés. Il y en a qui ont pris même le parti de Néron contre moi. Ils ont dit que je le faisais trop cruel. Pour moi, je croyais que le nom seul de Néron faisait entendre quelque chose de plus que cruel. Mais peut-être qu'ils raffinent sur son histoire, et veulent dire qu'il était honnête homme dans ses premières années. Il ne faut qu'avoir lu Tacite pour savoir que s'il a été quelque temps un bon empereur, il a toujours été un très méchant homme. Il ne s'agit point dans ma tragédie des affaires du dehors. Néron est ici dans son particulier et dans sa famille. Et ils me dispenseront de leur rapporter tous les passages qui pourraient bien aisément leur prouver que je n'ai point de réparation à lui faire.

D'autres ont dit, au contraire, que je l'avais fait trop bon. J'avoue que je ne m'étais pas formé l'idée d'un bon homme en la personne de Néron. Je l'ai toujours regardé comme un monstre. Mais c'est ici un monstre naissant. Il n'a pas encore mis le feu à Rome. Il n'a pas tué sa mère, sa femme, ses gouverneurs. À cela près, il me semble qu'il lui échappe assez de cruautés pour empêcher que personne ne le méconnaisse.

Quelques-uns ont pris l'intérêt de Narcisse, et se sont

plaints que j'en eusse fait un très méchant homme et le confident de Néron. Il suffit d'un passage pour leur répondre. « Néron, dit Tacite, porta impatiemment la mort de Narcisse, parce que cet affranchi avait une conformité merveilleuse avec les vices du prince encore cachés : *Cujus abditis adhuc vitiis mire congruebat*[1]. »

Les autres se sont scandalisés que j'eusse choisi un homme aussi jeune que Britannicus pour le héros d'une tragédie. Je leur ai déclaré, dans la préface d'*Andromaque*, les sentiments d'Aristote sur le héros de la tragédie ; et que bien loin d'ête parfait, il faut toujours qu'il ait quelque imperfection. Mais je leur dirai encore ici qu'un jeune prince de dix-sept ans, qui a beaucoup de cœur, beaucoup d'amour, beaucoup de franchise et beaucoup de crédulités, qualités ordinaires d'un jeune homme, m'a semblé très capable d'exciter la compassion. Je n'en veux pas davantage.

Mais, disent-ils, ce prince n'entrait que dans sa quinzième année lorsqu'il mourut. On le fait vivre, lui et Narcisse, deux ans plus qu'ils n'ont vécu. Je n'aurais point parlé de cette objection, si elle n'avait été faite avec chaleur par un homme qui s'est donné la liberté de faire régner vingt ans un empereur qui n'en a régné que huit[2], quoique ce changement soit bien plus considérable dans la chronologie, où l'on suppute les temps par les années des empereurs.

Junie ne manque pas non plus de censeurs. Ils disent que d'une vieille coquette, nommée Junia Silana, j'en ai fait une jeune fille très sage. Qu'auraient-ils à me répondre si je leur disais que cette Junie est un personnage

1. La phrase précédente de Racine traduit cette citation. Les traductions des citations latines ne seront données que quand Racine ne les fait pas lui-même. Il faut se rappeler que le public très restreint auquel s'adresse Racine lit le latin parce qu'il a fait ses études en latin. La majorité des citations est tirée des *Annales* de Tacite. On lira, dans le dossier, quelques-uns des principaux passages qui ont inspiré Racine.

2. Il s'agit de l'*Héraclius* de Corneille. Ici Racine commence à régler ses comptes avec son grand rival et devancier (cf. Préface).

inventé, comme l'Émilie de *Cinna*, comme la Sabine d'*Horace* ? Mais j'ai à leur dire que s'ils avaient bien lu l'histoire, ils auraient trouvé une Junia Calvina, de la famille d'Auguste, sœur de Silanus, à qui Claudius avait promis Octavie. Cette Junie était jeune, belle, et, comme dit Sénèque *festivissima omnium puellarum*[1]. Elle aimait tendrement son frère ; *et leurs ennemis*, dit Tacite, *les accusèrent tous deux d'inceste, quoiqu'ils ne fussent coupables que d'un peu d'indiscrétion.* Si je la représente plus retenue qu'elle n'était, je n'ai pas ouï dire qu'il nous fût défendu de rectifier les mœurs d'un personnage, surtout lorsqu'il n'est pas connu.

L'on trouve étrange qu'elle paraisse sur le théâtre après la mort de Britannicus. Certainement la délicatesse est grande de ne pas vouloir qu'elle dise en quatre vers assez touchants qu'elle passe chez Octavie[2]. Mais, disent-ils, cela ne valait pas la peine de la faire revenir. Un autre l'aurait pu raconter pour elle. Ils ne savent pas qu'une des règles du théâtre est de ne mettre en récit que les choses qui ne se peuvent passer en action ; et que tous les Anciens font venir souvent sur la scène des acteurs qui n'ont pas autre chose à dire, sinon qu'ils viennent d'un endroit, et qu'ils s'en retournent en un autre.

Tout cela est inutile, disent mes censeurs. La pièce est finie au récit de la mort de Britannicus, et l'on ne devrait point écouter le reste. On l'écoute pourtant, et même avec autant d'attention qu'aucune fin de tragédie. Pour moi, j'ai toujours compris que la tragédie étant l'imitation d'une action complète, où plusieurs personnes concourent, cette action n'est point finie que l'on ne sache en quelle situation elle laisse ces mêmes personnes. C'est ainsi que Sophocle en use presque partout. C'est ainsi que dans l'*Antigone* il emploie autant de vers à représenter la fureur d'Hémon et la punition de Créon après la mort de cette

1. « La plus charmante de toutes les jeunes filles. »
2. En fait, Racine finira par supprimer cette courte scène. On en trouvera le texte, après celui de la tragédie, dans *Variantes*.

princesse, que j'en ai employé aux imprécations d'Agrippine, à la retraite de Junie, à la punition de Narcisse, et au désespoir de Néron, après la mort de Britannicus.

Que faudrait-il faire pour contenter des juges si difficiles ? La chose serait aisée, pour peu qu'on voulût trahir le bon sens. Il ne faudrait que s'écarter du naturel pour se jeter dans l'extraordinaire. Au lieu d'une action simple, chargée de peu de matière, telle que doit être une action qui se passe en un seul jour, et qui s'avançant par degrés vers sa fin, n'est soutenue que par les intérêts, les sentiments et les passions des personnages, il faudrait remplir cette même action de quantité d'incidents qui ne se pourraient passer qu'en un mois, d'un grand nombre de jeux de théâtre, d'autant plus surprenants qu'ils seraient moins vraisemblables, d'une infinité de déclamations où l'on ferait dire aux acteurs tout le contraire de ce qu'ils devraient dire. Il faudrait, par exemple, représenter quelque héros ivre [1], qui se voudrait faire haïr de sa maîtresse de gaieté de cœur, un Lacédémonien [2] grand parleur, un conquérant [3] qui ne débiterait que des maximes d'amour, une femme qui donnerait des leçons de fierté à des conquérants [4]. Voilà sans doute de quoi faire récrier tous ces Messieurs. Mais que dirait cependant le petit nombre de gens sages auxquels je m'efforce de plaire ? De quel front oserais-je me montrer, pour ainsi dire, aux yeux de ces grands hommes de l'Antiquité que j'ai choisis pour modèles ? Car, pour me servir de la pensée d'un Ancien [5], voilà les véritables spectateurs que nous devons nous proposer ; et nous devons sans cesse nous demander : « Que diraient Homère et Virgile, s'ils lisaient ces vers ? Que dirait

1. Ici Racine vise l'*Attila* de Corneille.

2. Racine continue de s'amuser aux dépens de Corneille qui met en scène un « Lacédémonien grand parleur » (dans *Agésilas*), alors que, c'est bien connu, les Lacédémoniens sont « laconiques » !

3. César, dans *La Mort de Pompée*, toujours de Corneille !

4. Cornélie, dans la même pièce.

5. Longin, philosophe et rhéteur du IIIe siècle apr. J.-C., dont le *Traité du sublime* est toujours une référence à l'âge classique.

Sophocle, s'il voyait représenter cette scène ? » Quoi qu'il en soit, je n'ai point prétendu empêcher qu'on ne parlât contre mes ouvrages. Je l'aurais prétendu inutilement. *Quid de te alii loquantur ipsi videant*, dit Cicéron ; *sed loquentur tamen*[1].

Je prie seulement le lecteur de me pardonner cette petite préface, que j'ai faite pour lui rendre raison de ma tragédie. Il n'y a rien de plus naturel que de se défendre quand on se croit injustement attaqué. Je vois que Térence même semble n'avoir fait des prologues que pour se justifier contre les critiques d'un vieux poète malintentionné[2], *malevoli veteris poetae*, et qui venait briguer des voix contre lui jusqu'aux heures où l'on représentait ses comédies.

Occepta est agi ;
Exclamat, etc.

On me pouvait faire une difficulté qu'on ne m'a point faite. Mais ce qui est échappé aux spectateurs pourra être remarqué par les lecteurs. C'est que je fais entrer Junie dans les Vestales, où, selon Aulu-Gelle, on ne recevait personne au-dessous de six ans, ni au-dessus de dix. Mais le peuple prend ici Junie sous sa protection, et j'ai cru qu'en considération de sa naissance, de sa vertu et de son malheur, il pouvait la dispenser de l'âge prescrit par les lois, comme il a dispensé de l'âge pour le consulat tant de grands hommes qui avaient mérité ce privilège.

Enfin je suis très persuadé qu'on me peut faire bien d'autres critiques, sur lesquelles je n'aurais d'autre parti à prendre que celui d'en profiter à l'avenir. Mais je plains fort le malheur d'un homme qui travaille pour le public. Ceux qui voient le mieux nos défauts sont ceux qui les dissimulent le plus volontiers. Ils nous pardonnent les endroits qui leur ont déplu, en faveur de ceux qui leur ont

1. « Ce que les autres diront de toi, cela les regarde ; mais, c'est sûr, ils en parleront. »
2. Térence vise un certain Lucius. Racine... Corneille, cela va de soi (« À peine on commence à jouer, qu'il se met à crier... »).

donné du plaisir. Il n'y a rien, au contraire, de plus injuste qu'un ignorant. Il croit toujours que l'admiration est le partage des gens qui ne savent rien. Il condamne toute une pièce pour une scène qu'il n'approuve pas. Il s'attaque même aux endroits les plus éclatants, pour faire croire qu'il a de l'esprit ; et pour peu que nous résistions à ses sentiments, il nous traite de présomptueux qui ne veulent croire personne, et ne songe pas qu'il tire quelquefois plus de vanité d'une critique fort mauvaise, que nous n'en tirons d'une assez bonne pièce de théâtre.

Homine imperito numquam quidquam injustius[1].

1. « Personne n'est plus injuste qu'un homme sans expérience » (Térence).

SECONDE PRÉFACE
(1676)

Voici celle de mes tragédies que je puis dire que j'ai le plus travaillée. Cependant j'avoue que le succès ne répondit pas d'abord à mes espérances. À peine elle parut sur le théâtre, qu'il s'éleva quantité de critiques qui semblaient la vouloir détruire. Je crus moi-même que sa destinée serait à l'avenir moins heureuse que celle de mes autres tragédies. Mais enfin il est arrivé de cette pièce ce qui arrivera toujours des ouvrages qui auront quelque bonté. Les critiques se sont évanouies ; la pièce est demeurée. C'est maintenant celle des miennes que la cour et le public revoient le plus volontiers ; et si j'ai fait quelque chose de solide et qui mérite quelque louange, la plupart des connaisseurs demeurent d'accord que c'est ce même *Britannicus*.

À la vérité j'avais travaillé sur des modèles qui m'avaient extrêmement soutenu dans la peinture que je voulais faire de la cour d'Agrippine et de Néron. J'avais copié mes personnages d'après le plus grand peintre de l'Antiquité, je veux dire d'après Tacite. Et j'étais alors si rempli de la lecture de cet excellent historien, qu'il n'y a presque pas un trait éclatant dans ma tragédie dont il ne m'ait donné l'idée. J'avais voulu mettre dans ce recueil un extrait des plus beaux endroits que j'ai tâché d'imiter ; mais j'ai trouvé que cet extrait tiendrait presque autant de place que la tragédie. Ainsi le lecteur trouvera bon que je le renvoie à cet auteur, qui aussi bien est entre les mains de tout le monde ; et je me contenterai de rapporter ici quelques-uns de ses passages sur chacun des personnages que j'introduis sur la scène.

Pour commencer par Néron, il faut se souvenir qu'il est ici dans les premières années de son règne, qui ont été heureuses, comme l'on sait. Ainsi il ne m'a pas été permis de le représenter aussi méchant qu'il a été depuis. Je ne le représente pas non plus comme un homme vertueux, car il ne l'a jamais été. Il n'a pas encore tué sa mère, sa femme, ses gouverneurs ; mais il a en lui les semences de tous ces crimes. Il commence à vouloir secouer le joug. Il les hait les uns et les autres, et il leur cache sa haine sous de fausses caresses : *Factus natura velare odium fallacibus blanditiis* [1]. En un mot, c'est ici un monstre naissant, mais qui n'ose encore se déclarer, et qui cherche des couleurs à ses méchantes actions : *Hactenus Nero flagitiis et sceleribus velamenta quaesivit* [2]. Il ne pouvait souffrir Octavie, princesse d'une bonté et d'une vertu exemplaire : *Fato quodam, an quia praevalent illicita ; metuebaturque ne in stupra feminarum illustrium prorumperet* [3].

Je lui donne Narcisse pour confident. J'ai suivi en cela Tacite, qui dit que Néron porta impatiemment la mort de Narcisse, parce que cet affranchi avait une conformité merveilleuse avec les vices du prince encore cachés : *Cujus abditis adhuc vitiis mire congruebat* [4]. Ce passage prouve deux choses : il prouve et que Néron était déjà vicieux, mais qu'il dissimulait ses vices, et que Narcisse l'entretenait dans ses mauvaises inclinations.

J'ai choisi Burrhus pour opposer un honnête homme à cette peste de cour ; et je l'ai choisi plutôt que Sénèque. En voici la raison. Ils étaient tous deux gouverneurs de la jeunesse de Néron, l'un pour les armes, l'autre pour les lettres ; et ils étaient fameux, Burrhus pour son expérience dans les armes et pour la sévérité de ses mœurs,

1. « Naturellement doué pour cacher sa haine sous de fausses caresses » (Tacite).
2. « Jusque-là, Néron chercha à jeter un voile sur ses débauches et ses crimes » (Tacite).
3. « Par suite de fatalités ou poussé par l'attrait de l'interdit ; et l'on redoutait qu'il ne s'attaquât aux femmes de haut rang » (Tacite).
4. Cf. la première citation latine de la première préface.

militaribus curis et severitate morum ; Sénèque pour son éloquence et le tour agréable de son esprit, *Seneca praeceptis eloquentiae et comitate honesta.* Burrhus, après sa mort, fut extrêmement regretté à cause de sa vertu : *Civitati grande desiderium ejus mansit per memoriam virtutis*[1].

Toute leur peine était de résister à l'orgueil et à la férocité d'Agrippine, *quae cunctis malae dominationis cupidinibus flagrans, habebat in partibus Pallantem*[2]. Je ne dis que ce mot d'Agrippine, car il y aurait trop de choses à en dire. C'est elle que je me suis surtout efforcé de bien exprimer, et ma tragédie n'est pas moins la disgrâce d'Agrippine que la mort de Britannicus. Cette mort fut un coup de foudre pour elle, et il parut, dit Tacite, par sa frayeur et par sa consternation, qu'elle était aussi innocente de cette mort qu'Octavie. Agrippine perdait en lui sa dernière espérance, et ce crime lui en faisait craindre un plus grand : *Sibi supremum auxilium ereptum, et parricidii exemplum intelligebat*[3].

L'âge de Britannicus était si connu, qu'il ne m'a pas été permis de le représenter autrement que comme un jeune prince qui avait beaucoup de cœur, beaucoup d'amour et beaucoup de franchise, qualités ordinaires d'un jeune homme. Il avait quinze ans, et on dit qu'il avait beaucoup d'esprit ; soit qu'on dise vrai, ou que ses malheurs aient fait croire cela de lui, sans qu'il ait pu en donner des marques : *Neque segnem ei fuisse indolem ferunt ; sive verum, seu periculis commendatus retinuit famam sine experimento.*

Il ne faut pas s'étonner s'il n'a auprès de lui qu'un aussi méchant homme que Narcisse ; car il y avait longtemps qu'on avait donné ordre qu'il n'y eût auprès de Britannicus que des gens qui n'eussent ni foi ni honneur : *Nam ut*

1. « La cité le regretta longtemps en se souvenant de sa vertu » (Tacite).
2. « ... qui brûlant de toutes les ardeurs qu'entraîne l'amour du pouvoir, avait mis Pallas dans son camp » (Tacite).
3. « Elle comprenait que son dernier appui lui avait été arraché, et que la voie du parricide était tracée » (Tacite).

proximus quisque Britannico neque fas neque fidem pensi haberet olim provisum erat.

Il me reste à parler de Junie. Il ne la faut pas confondre avec une vieille coquette qui s'appelait Junia Silana. C'est ici une autre Junie, que Tacite appelle Junia Calvina, de la famille d'Auguste, sœur de Silanus à qui Claudius avait promis Octavie. Cette Junie était jeune, belle et, comme dit Sénèque, *festivissima omnium puellarum* [1]. Son frère et elle s'aimaient tendrement ; et leurs ennemis, dit Tacite, les accusèrent tous deux d'inceste, quoiqu'ils ne fussent coupables que d'un peu d'indiscrétion. Elle vécut jusqu'au règne de Vespasien.

Je la fais entrer dans les Vestales, quoique, selon Aulu-Gelle, on n'y reçût jamais personne au-dessous de six ans, ni au-dessus de dix. Mais le peuple prend ici Junie sous sa protection. Et j'ai cru qu'en considération de sa naissance, de sa vertu et de son malheur, il pouvait la dispenser de l'âge prescrit par les lois, comme il a dispensé de l'âge pour le consulat tant de grands hommes qui avaient mérité ce privilège.

1. Cf. note 1, p. 18.

BRITANNICUS

Tragédie

PERSONNAGES

NÉRON, *empereur, fils d'Agrippine.*

BRITANNICUS, *fils de l'empereur Claudius.*

AGRIPPINE, *veuve de Domitius Ænobarbus, père de Néron, et, en secondes noces, veuve de l'empereur Claudius.*

JUNIE, *amante*[1] *de Britannicus.*

BURRHUS, *gouverneur de Néron.*

NARCISSE, *gouverneur de Britannicus.*

ALBINE, *confidente d'Agrippine.*

GARDES.

La scène est à Rome,
dans une chambre[2] *du palais de Néron.*

1. Cf. Lexique racinien, p. 134. Pour les noms propres intervenant dans le texte : Index nominum, p. 135.
2. Comme l'indique la première scène, il s'agit de l'antichambre de Néron.

ACTE I

SCÈNE 1

Agrippine, Albine.

ALBINE

Quoi ? tandis que Néron s'abandonne au sommeil,
Faut-il que vous veniez attendre son réveil ?
Qu'errant dans le palais sans suite et sans escorte,
La mère de César veille seule à sa porte ?
Madame, retournez dans votre appartement.

AGRIPPINE

Albine, il ne faut pas s'éloigner un moment.
Je veux l'attendre ici. Les chagrins qu'il me cause
M'occuperont assez tout le temps qu'il repose.
Tout ce que j'ai prédit n'est que trop assuré :
10 Contre Britannicus Néron s'est déclaré.
L'impatient Néron cesse de se contraindre ;
Las de se faire aimer, il veut se faire craindre.
Britannicus le gêne, Albine, et chaque jour
Je sens que je deviens importune à mon tour.

ALBINE

Quoi ? vous à qui Néron doit le jour qu'il respire,
Qui l'avez appelé de si loin à l'empire ?
Vous qui, déshéritant le fils de Claudius,
Avez nommé César l'heureux Domitius ?
Tout lui parle, Madame, en faveur d'Agrippine :
20 Il vous doit son amour.

AGRIPPINE

Il me le doit, Albine ;
Tout, s'il est généreux, lui prescrit cette loi ;
Mais tout, s'il est ingrat, lui parle contre moi.

ALBINE

S'il est ingrat, Madame ? Ah ! toute sa conduite
Marque dans son devoir une âme trop instruite.
Depuis trois ans entiers, qu'a-t-il dit, qu'a-t-il fait
Qui ne promette à Rome un empereur parfait ?
Rome, depuis deux ans, par ses soins gouvernée,
Au temps de ses consuls[1] croit être retournée :
Il la gouverne en père. Enfin, Néron naissant
30 A toutes les vertus d'Auguste vieillissant.

AGRIPPINE

Non, non, mon intérêt ne me rend point injuste :
Il commence, il est vrai, par où finit Auguste ;
Mais crains que l'avenir détruisant le passé,
Il ne finisse ainsi qu'Auguste a commencé.
Il se déguise en vain : je lis sur son visage
Des fiers Domitius l'humeur triste et sauvage ;
Il mêle avec l'orgueil qu'il a pris dans leur sang
La fierté des Néron qu'il puisa dans mon flanc.
Toujours la tyrannie a d'heureuses prémices :
40 De Rome, pour un temps, Caïus[2] fut les délices ;
Mais sa feinte bonté se tournant en fureur,
Les délices de Rome en devinrent l'horreur.
Que m'importe, après tout, que Néron, plus fidèle,
D'une longue vertu laisse un jour le modèle ?
Ai-je mis dans sa main le timon de l'État
Pour le conduire au gré du peuple et du sénat ?
Ah ! que de la patrie il soit, s'il veut, le père ;
Mais qu'il songe un peu plus qu'Agrippine est sa mère.
De quel nom cependant pouvons-nous appeler

1. Cf. note 1, p. 32.
2. L'empereur Caligula, frère d'Agrippine.

50 L'attentat que le jour vient de nous révéler ?
Il sait, car leur amour ne peut être ignorée,
Que de Britannicus Junie est adorée,
Et ce même Néron, que la vertu conduit,
Fait enlever Junie au milieu de la nuit !
Que veut-il ? Est-ce haine, est-ce amour qui l'inspire ?
Cherche-t-il seulement le plaisir de leur nuire ?
Ou plutôt n'est-ce point que sa malignité
Punit sur eux l'appui que je leur ai prêté ?

ALBINE

Vous, leur appui, Madame ?

AGRIPPINE

Arrête, chère Albine.
60 Je sais que j'ai moi seule avancé leur ruine ;
Que du trône, où le sang l'a dû [1] faire monter,
Britannicus par moi s'est vu précipiter.
Par moi seule éloigné de l'hymen d'Octavie,
Le frère de Junie abandonna la vie,
Silanus, sur qui Claude avait jeté les yeux,
Et qui comptait Auguste au rang de ses aïeux.
Néron jouit de tout ; et moi, pour récompense,
Il faut qu'entre eux et lui je tienne la balance,
Afin que quelque jour, par une même loi,
70 Britannicus la tienne entre mon fils et moi.

ALBINE

Quel dessein !

AGRIPPINE

Je m'assure un port dans la tempête.
Néron m'échappera, si ce frein ne l'arrête.

ALBINE

Mais prendre contre un fils tant de soins superflus ?

1. L'aurait dû.

AGRIPPINE

Je le craindrais bientôt, s'il ne me craignait plus.

ALBINE

Une juste frayeur vous alarme peut-être.
Mais si Néron pour vous n'est plus ce qu'il doit être,
Du moins son changement ne vient pas jusqu'à nous,
Et ce sont des secrets entre César et vous.
Quelques titres nouveaux que Rome lui défère,
80 Néron n'en reçoit point qu'il ne donne à sa mère.
Sa prodigue amitié ne se réserve rien ;
Votre nom est dans Rome aussi saint que le sien.
À peine parle-t-on de la triste Octavie.
Auguste votre aïeul honora moins Livie.
Néron devant sa mère a permis le premier
Qu'on portât les faisceaux couronnés de laurier[1].
Quels effets voulez-vous de sa reconnaissance ?

AGRIPPINE

Un peu moins de respect, et plus de confiance.
Tous ces présents, Albine, irritent mon dépit.
90 Je vois mes honneurs croître et tomber mon crédit.
Non, non, le temps n'est plus que Néron, jeune encore,
Me renvoyait les vœux d'une cour qui l'adore,
Lorsqu'il se reposait sur moi de tout l'État,
Que mon ordre au palais assemblait le sénat,
Et que derrière un voile, invisible et présente,
J'étais de ce grand corps l'âme toute-puissante.
Des volontés de Rome alors mal assuré,
Néron de sa grandeur n'était point enivré.
Ce jour, ce triste jour frappe encor ma mémoire
100 Où Néron fut lui-même ébloui de sa gloire,
Quand les ambassadeurs de tant de rois divers
Vinrent le reconnaître au nom de l'univers.
Sur son trône avec lui j'allais prendre ma place :

1. Emblème honorifique porté devant les consuls et l'empereur.

J'ignore quel conseil prépara ma disgrâce ;
Quoi qu'il en soit, Néron, d'aussi loin qu'il me vit,
Laissa sur son visage éclater son dépit.
Mon cœur même en conçut un malheureux augure.
L'ingrat, d'un faux respect colorant son injure,
Se leva par avance, et courant m'embrasser,
110 Il m'écarta du trône où je m'allais placer.
Depuis ce coup fatal, le pouvoir d'Agrippine
Vers sa chute à grands pas chaque jour s'achemine.
L'ombre seule m'en reste, et l'on n'implore plus
Que le nom de Sénèque et l'appui de Burrhus.

ALBINE

Ah ! si de ce soupçon votre âme est prévenue,
Pourquoi nourrissez-vous le venin qui vous tue ?
Daignez avec César vous éclaircir du moins.

AGRIPPINE

César ne me voit plus, Albine, sans témoins.
En public, à mon heure, on me donne audience ;
120 Sa réponse est dictée, et même son silence.
Je vois deux surveillants, ses maîtres et les miens,
Présider l'un ou l'autre à tous nos entretiens.
Mais je le poursuivrai d'autant plus qu'il m'évite :
De son désordre, Albine, il faut que je profite.
J'entends du bruit ; on ouvre. Allons subitement
Lui demander raison de cet enlèvement.
Surprenons, s'il se peut, les secrets de son âme.
Mais quoi ? déjà Burrhus sort de chez lui ?

SCÈNE 2

Agrippine, Burrhus, Albine.

BURRHUS

Madame,
Au nom de l'empereur j'allais vous informer

130 D'un ordre qui d'abord a pu vous alarmer,
Mais qui n'est que l'effet d'une sage conduite,
Dont César a voulu que vous soyez instruite.

AGRIPPINE

Puisqu'il le veut, entrons : il m'en instruira mieux.

BURRHUS

César pour quelque temps s'est soustrait à nos yeux.
Déjà par une porte au public moins connue
L'un et l'autre consul[1] vous avaient prévenue,
Madame. Mais souffrez que je retourne exprès...

AGRIPPINE

Non, je ne trouble point ses augustes secrets.
Cependant voulez-vous qu'avec moins de contrainte
140 L'un et l'autre une fois nous nous parlions sans feinte ?

BURRHUS

Burrhus pour le mensonge eut toujours trop d'horreur.

AGRIPPINE

Prétendez-vous longtemps me cacher l'empereur ?
Ne le verrai-je plus qu'à titre d'importune ?
Ai-je donc élevé si haut votre fortune
Pour mettre une barrière entre mon fils et moi ?
Ne l'osez-vous laisser un moment sur sa foi ?
Entre Sénèque et vous disputez-vous la gloire
À qui m'effacera plus tôt de sa mémoire ?
Vous l'ai-je confié pour en faire un ingrat,
150 Pour être, sous son nom, les maîtres de l'État ?
Certes, plus je médite, et moins je me figure
Que vous m'osiez compter pour votre créature,
Vous, dont j'ai pu[2] laisser vieillir l'ambition
Dans les honneurs obscurs de quelque légion,

1. Auguste avait gardé les deux consuls du régime républicain, élus chaque année. Mais leur pouvoir n'était que théorique.
2. J'aurais pu.

Et moi qui sur le trône ai suivi mes ancêtres,
Moi, fille, femme, sœur et mère de vos maîtres !
Que prétendez-vous donc ? Pensez-vous que ma voix
Ait fait un empereur pour m'en imposer trois ?
Néron n'est plus enfant : n'est-il pas temps qu'il règne ?
160 Jusqu'à quand voulez-vous que l'empereur vous
[craigne ?
Ne saurait-il rien voir qu'il n'emprunte vos yeux ?
Pour se conduire, enfin, n'a-t-il pas ses aïeux ?
Qu'il choisisse, s'il veut, d'Auguste ou de Tibère,
Qu'il imite, s'il peut, Germanicus mon père.
Parmi tant de héros je n'ose me placer,
Mais il est des vertus que je lui puis tracer.
Je puis l'instruire au moins combien sa confidence
Entre un sujet et lui doit laisser de distance.

BURRHUS

Je ne m'étais chargé dans cette occasion
170 Que d'excuser César d'une seule action.
Mais puisque sans vouloir que je le justifie,
Vous me rendez garant du reste de sa vie,
Je répondrai, Madame, avec la liberté
D'un soldat qui sait mal farder la vérité.
Vous m'avez de César confié la jeunesse,
Je l'avoue, et je dois m'en souvenir sans cesse.
Mais vous avais-je fait serment de le trahir,
D'en faire un empereur qui ne sût qu'obéir ?
Non. Ce n'est plus à vous qu'il faut que j'en réponde,
180 Ce n'est plus votre fils, c'est le maître du monde.
J'en dois compte, Madame, à l'empire romain,
Qui croit voir son salut ou sa perte en ma main.
Ah ! si dans l'ignorance il le fallait instruire,
N'avait-on que Sénèque et moi pour le séduire ?
Pourquoi de sa conduite éloigner les flatteurs ?
Fallait-il dans l'exil chercher des corrupteurs ?
La cour de Claudius, en esclaves fertile,
Pour deux que l'on cherchait en eût présenté mille,
Qui tous auraient brigué l'honneur de l'avilir :
190 Dans une longue enfance ils l'auraient fait vieillir.

De quoi vous plaignez-vous, Madame ? On vous révère :
Ainsi que par César, on jure par sa mère.
L'empereur, il est vrai, ne vient plus chaque jour
Mettre à vos pieds l'empire, et grossir votre cour.
Mais le doit-il, Madame ? et sa reconnaissance
Ne peut-elle éclater que dans sa dépendance ?
Toujours humble, toujours le timide Néron
N'ose-t-il être Auguste et César que de nom ?
Vous le dirai-je enfin ? Rome le justifie.
200 Rome, à trois affranchis si longtemps asservie [1],
À peine respirant du joug qu'elle a porté,
Du règne de Néron compte sa liberté.
Que dis-je ? la vertu semble même renaître.
Tout l'empire n'est plus la dépouille d'un maître :
Le peuple au champ de Mars nomme ses magistrats,
César nomme les chefs sur la foi des soldats ;
Thraséas au sénat, Corbulon dans l'armée,
Sont encore innocents, malgré leur renommée ;
Les déserts, autrefois peuplés de sénateurs,
210 Ne sont plus habités que par leurs délateurs.
Qu'importe que César continue à nous croire,
Pourvu que nos conseils ne tendent qu'à sa gloire ;
Pourvu que dans le cours d'un règne florissant
Rome soit toujours libre, et César tout-puissant ?
Mais, Madame, Néron suffit pour se conduire.
J'obéis, sans prétendre à l'honneur de l'instruire.
Sur ses aïeux, sans doute, il n'a qu'à se régler ;
Pour bien faire, Néron n'a qu'à se ressembler,
Heureux si ses vertus, l'une à l'autre enchaînées,
220 Ramènent tous les ans ses premières années !

AGRIPPINE

Ainsi, sur l'avenir n'osant vous assurer,
Vous croyez que sans vous Néron va s'égarer.
Mais vous qui jusqu'ici content de votre ouvrage,
Venez de ses vertus nous rendre témoignage,

1. Cf. Pallas, dans l'Index nominum.

Expliquez-nous pourquoi, devenu ravisseur,
Néron de Silanus fait enlever la sœur ?
Ne tient-il qu'à marquer de cette ignominie
Le sang de mes aïeux qui brille dans Junie ?
De quoi l'accuse-t-il ? Et par quel attentat
230 Devient-elle en un jour criminelle d'État,
Elle qui sans orgueil jusqu'alors élevée,
N'aurait point vu Néron, s'il ne l'eût enlevée,
Et qui même aurait mis au rang de ses bienfaits
L'heureuse liberté de ne le voir jamais ?

BURRHUS

Je sais que d'aucun crime elle n'est soupçonnée ;
Mais jusqu'ici César ne l'a point condamnée,
Madame. Aucun objet ne blesse ici ses yeux :
Elle est dans un palais tout plein de ses aïeux.
Vous savez que les droits qu'elle porte avec elle
240 Peuvent de son époux faire un prince rebelle [1],
Que le sang de César ne se doit allier
Qu'à ceux à qui César le veut bien confier,
Et vous-même avouerez qu'il ne serait pas juste
Qu'on disposât sans lui de la nièce d'Auguste.

AGRIPPINE

Je vous entends : Néron m'apprend par votre voix
Qu'en vain Britannicus s'assure sur mon choix.
En vain, pour détourner ses yeux de sa misère,
J'ai flatté son amour d'un hymen qu'il espère.
À ma confusion, Néron veut faire voir
250 Qu'Agrippine promet par-delà son pouvoir.
Rome de ma faveur est trop préoccupée :
Il veut par cet affront qu'elle soit détrompée,
Et que tout l'univers apprenne avec terreur
À ne confondre plus mon fils et l'empereur.
Il le peut. Toutefois j'ose encore lui dire

1. Junie descend d'Auguste. Mais l'adoption de Néron par Claude (comme avant, de Tibère par Auguste) était tout à fait légale.

Qu'il doit avant ce coup affermir son empire,
Et qu'en me réduisant à la nécessité
D'éprouver contre lui ma faible autorité,
Il expose la sienne, et que dans la balance
260 Mon nom peut-être aura plus de poids qu'il ne pense.

BURRHUS

Quoi, Madame ? toujours soupçonner son respect ?
Ne peut-il faire un pas qui ne vous soit suspect ?
L'empereur vous croit-il du parti de Junie ?
Avec Britannicus vous croit-il réunie ?
Quoi ? de vos ennemis devenez-vous l'appui
Pour trouver un prétexte à vous plaindre de lui ?
Sur le moindre discours qu'on pourra vous redire,
Serez-vous toujours prête à partager l'empire ?
Vous craindrez-vous sans cesse, et vos embrassements
270 Ne se passeront-ils qu'en éclaircissements ?
Ah ! quittez d'un censeur la triste diligence ;
D'une mère facile affectez l'indulgence,
Souffrez quelques froideurs sans les faire éclater,
Et n'avertissez point la cour de vous quitter.

AGRIPPINE

Et qui s'honorerait de l'appui d'Agrippine,
Lorsque Néron lui-même annonce ma ruine ?
Lorsque de sa présence il semble me bannir ?
Quand Burrhus à sa porte ose me retenir ?

BURRHUS

Madame, je vois bien qu'il est temps de me taire,
280 Et que ma liberté commence à vous déplaire.
La douleur est injuste, et toutes les raisons
Qui ne la flattent point aigrissent ses soupçons.
Voici Britannicus. Je lui cède ma place.
Je vous laisse écouter et plaindre sa disgrâce,
Et peut-être, Madame, en accuser les soins
De ceux que l'empereur a consultés le moins.

SCÈNE 3

Britannicus, Agrippine, Narcisse, Albine.

AGRIPPINE

Ah, Prince ! où courez-vous ? Quelle ardeur inquiète
Parmi vos ennemis en aveugle vous jette ?
Que venez-vous chercher ?

BRITANNICUS

Ce que je cherche ? Ah, dieux !
290 Tout ce que j'ai perdu, Madame, est en ces lieux.
De mille affreux soldats Junie environnée
S'est vue en ce palais indignement traînée.
Hélas ! de quelle horreur ses timides esprits
À ce nouveau spectacle auront été surpris !
Enfin on me l'enlève. Une loi trop sévère
Va séparer deux cœurs qu'assemblait leur misère.
Sans doute on ne veut pas que mêlant nos douleurs
Nous nous aidions l'un l'autre à porter nos malheurs.

AGRIPPINE

Il suffit. Comme vous je ressens vos injures ;
300 Mes plaintes ont déjà précédé vos murmures.
Mais je ne prétends pas qu'un impuissant courroux
Dégage ma parole et m'acquitte envers vous.
Je ne m'explique point. Si vous voulez m'entendre,
Suivez-moi chez Pallas, où je vais vous attendre.

SCÈNE 4

Britannicus, Narcisse

BRITANNICUS

La croirai-je, Narcisse ? et dois-je sur sa foi
La prendre pour arbitre entre son fils et moi ?
Qu'en dis-tu ? N'est-ce pas cette même Agrippine
Que mon père épousa jadis pour sa ruine,
Et qui, si je t'en crois, a de ses derniers jours,
310 Trop lents pour ses desseins, précipité le cours ?

NARCISSE

N'importe. Elle se sent comme vous outragée ;
À vous donner Junie elle s'est engagée :
Unissez vos chagrins, liez vos intérêts.
Ce palais retentit en vain de vos regrets :
Tandis qu'on vous verra d'une voix suppliante
Semer ici la plainte et non pas l'épouvante,
Que vos ressentiments se perdront en discours,
Il n'en faut pas douter, vous vous plaindrez toujours.

BRITANNICUS

Ah ! Narcisse, tu sais si de la servitude
320 Je prétends faire encore une longue habitude ;
Tu sais si pour jamais, de ma chute étonné,
Je renonce à l'empire où j'étais destiné.
Mais je suis seul encor : les amis de mon père
Sont autant d'inconnus que glace ma misère,
Et ma jeunesse même écarte loin de moi
Tous ceux qui dans le cœur me réservent leur foi.
Pour moi, depuis un an qu'un peu d'expérience
M'a donné de mon sort la triste connaissance,
Que vois-je autour de moi, que des amis vendus
330 Qui sont de tous mes pas les témoins assidus,
Qui choisis par Néron pour ce commerce infâme,
Trafiquent avec lui des secrets de mon âme ?

Quoi qu'il en soit, Narcisse, on me vend tous les jours :
Il prévoit mes desseins, il entend mes discours ;
Comme toi, dans mon cœur, il sait ce qui se passe.
Que t'en semble, Narcisse ?

NARCISSE

Ah ! quelle âme assez basse...
C'est à vous de choisir des confidents discrets,
Seigneur, et de ne pas prodiguer vos secrets.

BRITANNICUS

Narcisse, tu dis vrai. Mais cette défiance
340 Est toujours d'un grand cœur la dernière science ;
On le trompe longtemps. Mais enfin je te croi,
Ou plutôt je fais vœu de ne croire que toi.
Mon père, il m'en souvient, m'assura de ton zèle.
Seul de ses affranchis tu m'es toujours fidèle ;
Tes yeux, sur ma conduite incessamment ouverts,
M'ont sauvé jusqu'ici de mille écueils couverts.
Va donc voir si le bruit de ce nouvel orage
Aura de nos amis excité le courage.
Examine leurs yeux, observe leurs discours,
350 Vois si j'en puis attendre un fidèle secours.
Surtout dans ce palais remarque avec adresse
Avec quel soin Néron fait garder la princesse :
Sache si du péril ses beaux yeux sont remplis,
Et si son entretien m'est encore permis.
Cependant de Néron je vais trouver la mère
Chez Pallas, comme toi l'affranchi de mon père.
Je vais la voir, l'aigrir, la suivre et s'il se peut
M'engager sous son nom plus loin qu'elle ne veut.

ACTE II

SCÈNE 1

Néron, Burrhus, Narcisse, Gardes.

NÉRON

N'en doutez point, Burrhus : malgré ses injustices,
360 C'est ma mère, et je veux ignorer ses caprices.
Mais je ne prétends plus ignorer ni souffrir
Le ministre insolent qui les ose nourrir.
Pallas de ses conseils empoisonne ma mère ;
Il séduit, chaque jour, Britannicus mon frère,
Ils l'écoutent tout seul, et qui suivrait leurs pas,
Les trouverait peut-être assemblés chez Pallas.
C'en est trop. De tous deux il faut que je l'écarte.
Pour la dernière fois, qu'il s'éloigne, qu'il parte ;
Je le veux, je l'ordonne ; et que la fin du jour
370 Ne le retrouve pas dans Rome ou dans ma cour.
Allez : cet ordre importe au salut de l'empire.
Vous, Narcisse, approchez. Et vous, qu'on se
[retire.

SCÈNE 2

Néron, Narcisse.

NARCISSE

Grâces aux dieux, Seigneur, Junie entre vos mains
Vous assure aujourd'hui le reste des Romains.
Vos ennemis, déchus de leur vaine espérance,
Sont allés chez Pallas pleurer leur impuissance.

Mais que vois-je ? Vous-même, inquiet, étonné,
Plus que Britannicus paraissez consterné.
Que présage à mes yeux cette tristesse obscure
380 Et ces sombres regards errant à l'aventure ?
Tout vous rit : la fortune obéit à vos vœux.

NÉRON

Narcisse, c'en est fait. Néron est amoureux.

NARCISSE

Vous ?

NÉRON

Depuis un moment, mais pour toute ma vie,
J'aime, que dis-je, aimer ? j'idolâtre Junie !

NARCISSE

Vous l'aimez ?

NÉRON

Excité d'un désir curieux,
Cette nuit je l'ai vue arriver en ces lieux,
Triste, levant au ciel ses yeux mouillés de larmes,
Qui brillaient au travers des flambeaux et des armes,
Belle, sans ornements, dans le simple appareil
390 D'une beauté qu'on vient d'arracher au sommeil.
Que veux-tu ? Je ne sais si cette négligence,
Les ombres, les flambeaux, les cris et le silence,
Et le farouche aspect de ses fiers ravisseurs,
Relevaient de ses yeux les timides douceurs,
Quoi qu'il en soit, ravi d'une si belle vue,
J'ai voulu lui parler, et ma voix s'est perdue :
Immobile, saisi d'un long étonnement,
Je l'ai laissée passer dans son appartement.
J'ai passé dans le mien. C'est là que, solitaire,
400 De son image en vain j'ai voulu me distraire.
Trop présente à mes yeux je croyais lui parler,
J'aimais jusqu'à ses pleurs que je faisais couler.
Quelquefois, mais trop tard, je lui demandais grâce ;

J'employais les soupirs, et même la menace.
Voilà comme, occupé de mon nouvel amour,
Mes yeux, sans se fermer, ont attendu le jour.
Mais je m'en fais peut-être une trop belle image,
Elle m'est apparue avec trop d'avantage :
Narcisse, qu'en dis-tu ?

NARCISSE

Quoi, Seigneur ? croira-t-on
410 Qu'elle ait pu si longtemps se cacher à Néron ?

NÉRON

Tu le sais bien, Narcisse. Et soit que sa colère
M'imputât le malheur qui lui ravit son frère,
Soit que son cœur, jaloux d'une austère fierté,
Enviât à nos yeux sa naissante beauté,
Fidèle à sa douleur, et dans l'ombre enfermée,
Elle se dérobait même à sa renommée.
Et c'est cette vertu, si nouvelle à la cour,
Dont la persévérance irrite mon amour.
Quoi, Narcisse ? tandis qu'il n'est point de Romaine
420 Que mon amour n'honore et ne rende plus vaine,
Qui dès qu'à ses regards elle ose se fier,
Sur le cœur de César ne les vienne essayer,
Seule dans son palais la modeste Junie
Regarde leurs honneurs comme une ignominie,
Fuit, et ne daigne pas peut-être s'informer
Si César est aimable ou bien s'il sait aimer ?
Dis-moi : Britannicus l'aime-t-il ?

NARCISSE

Quoi ! s'il l'aime,
Seigneur ?

NÉRON

Si jeune encor, se connaît-il lui-même ?
D'un regard enchanteur connaît-il le poison ?

NARCISSE

430 Seigneur, l'amour toujours n'attend pas la raison.
N'en doutez point, il l'aime. Instruits par tant de [charmes,
Ses yeux sont déjà faits à l'usage des larmes.
À ses moindres désirs il sait s'accommoder,
Et peut-être déjà sait-il persuader.

NÉRON

Que dis-tu ? Sur son cœur il aurait quelque empire ?

NARCISSE

Je ne sais. Mais, Seigneur, ce que je puis vous dire,
Je l'ai vu quelquefois s'arracher de ces lieux,
Le cœur plein d'un courroux qu'il cachait à vos yeux,
D'une cour qui le fuit pleurant l'ingratitude,
440 Las de votre grandeur et de sa servitude,
Entre l'impatience et la crainte flottant,
Il allait voir Junie, et revenait content.

NÉRON

D'autant plus malheureux qu'il aura su lui plaire,
Narcisse, il doit plutôt souhaiter sa colère.
Néron impunément ne sera pas jaloux.

NARCISSE

Vous ? Et de quoi, Seigneur, vous inquiétez-vous ?
Junie a pu le plaindre et partager ses peines :
Elle n'a vu couler de larmes que les siennes.
Mais aujourd'hui, Seigneur, que ses yeux dessillés
450 Regardant de plus près l'éclat dont vous brillez,
Verront autour de vous les rois sans diadème,
Inconnus dans la foule, et son amant lui-même,
Attachés sur vos yeux s'honorer d'un regard
Que vous aurez sur eux fait tomber au hasard ;
Quand elle vous verra, de ce degré de gloire,
Venir en soupirant avouer sa victoire :
Maître, n'en doutez point, d'un cœur déjà charmé,
Commandez qu'on vous aime, et vous serez aimé.

NÉRON

À combien de chagrins il faut que je m'apprête !
460 Que d'importunités !

NARCISSE

Quoi donc ? qui vous arrête,
Seigneur ?

NÉRON

Tout : Octavie, Agrippine, Burrhus,
Sénèque, Rome entière, et trois ans de vertus.
Non que pour Octavie un reste de tendresse
M'attache à son hymen et plaigne sa jeunesse :
Mes yeux, depuis longtemps fatigués de ses soins,
Rarement de ses pleurs daignent être témoins ;
Trop heureux, si bientôt la faveur d'un divorce
Me soulageait d'un joug qu'on m'imposa par force !
Le ciel même en secret semble la condamner :
470 Ses vœux, depuis quatre ans, ont beau l'importuner,
Les dieux ne montrent point que sa vertu les touche :
D'aucun gage, Narcisse, ils n'honorent sa couche ;
L'empire vainement demande un héritier.

NARCISSE

Que tardez-vous, Seigneur, à la répudier ?
L'empire, votre cœur, tout condamne Octavie.
Auguste, votre aïeul, soupirait pour Livie :
Par un double divorce ils s'unirent tous deux,
Et vous devez l'empire à ce divorce heureux.
Tibère, que l'hymen plaça dans sa famille,
480 Osa bien à ses yeux répudier sa fille[1].
Vous seul, jusques ici contraire à vos désirs,
N'osez par un divorce assurer vos plaisirs.

NÉRON

Et ne connais-tu pas l'implacable Agrippine ?
Mon amour inquiet déjà se l'imagine

1. Cf. Tibère, dans l'Index nominum.

Qui m'amène Octavie, et d'un œil enflammé
Atteste les saints droits d'un nœud qu'elle a formé ;
Et portant à mon cœur des atteintes plus rudes,
Me fait un long récit de mes ingratitudes.
De quel front soutenir ce fâcheux entretien ?

NARCISSE

490 N'êtes-vous pas, Seigneur, votre maître et le sien ?
Vous verrons-nous toujours trembler sous sa tutelle ?
Vivez, régnez pour vous : c'est trop régner pour elle.
Craignez-vous ? Mais, Seigneur, vous ne la craignez [pas :
Vous venez de bannir le superbe Pallas,
Pallas, dont vous savez qu'elle soutient l'audace.

NÉRON

Éloigné de ses yeux, j'ordonne, je menace,
J'écoute vos conseils, j'ose les approuver ;
Je m'excite contre elle, et tâche à la braver :
Mais (je t'expose ici mon âme toute nue)
500 Sitôt que mon malheur me ramène à sa vue,
Soit que je n'ose encor démentir le pouvoir
De ces yeux où j'ai lu si longtemps mon devoir ;
Soit qu'à tant de bienfaits ma mémoire fidèle
Lui soumette en secret tout ce que je tiens d'elle,
Mais enfin mes efforts ne me servent de rien :
Mon génie étonné tremble devant le sien.
Et c'est pour m'affranchir de cette dépendance,
Que je la fuis partout, que même je l'offense,
Et que de temps en temps j'irrite ses ennuis,
510 Afin qu'elle m'évite autant que je la fuis.
Mais je t'arrête trop. Retire-toi, Narcisse ;
Britannicus pourrait t'accuser d'artifice.

NARCISSE

Non, non ; Britannicus s'abandonne à ma foi ;
Par son ordre, Seigneur, il croit que je vous voi,
Que je m'informe ici de tout ce qui le touche,
Et veut de vos secrets être instruit par ma bouche.

Impatient surtout de revoir ses amours,
Il attend de mes soins ce fidèle secours.

NÉRON

J'y consens ; porte-lui cette douce nouvelle :
520 Il la verra.

NARCISSE

Seigneur, bannissez-le loin d'elle.

NÉRON

J'ai mes raisons, Narcisse ; et tu peux concevoir
Que je lui vendrai cher le plaisir de la voir.
Cependant vante-lui ton heureux stratagème,
Dis-lui qu'en sa faveur on me trompe moi-même,
Qu'il la voit sans mon ordre. On ouvre : la voici.
Va retrouver ton maître, et l'amener ici.

SCÈNE 3

Néron, Junie.

NÉRON

Vous vous troublez, Madame, et changez de visage.
Lisez-vous dans mes yeux quelque triste présage ?

JUNIE

Seigneur, je ne vous puis déguiser mon erreur :
530 J'allais voir Octavie, et non pas l'empereur.

NÉRON

Je le sais bien, Madame, et n'ai pu sans envie
Apprendre vos bontés pour l'heureuse Octavie.

JUNIE

Vous, Seigneur ?

NÉRON

Pensez-vous, Madame, qu'en ces lieux,
Seule pour vous connaître Octavie ait des yeux ?

JUNIE

Et quel autre, Seigneur, voulez-vous que j'implore ?
À qui demanderai-je un crime que j'ignore ?
Vous qui le punissez, vous ne l'ignorez pas :
De grâce, apprenez-moi, Seigneur, mes attentats.

NÉRON

Quoi, Madame ? est-ce donc une légère offense
540 De m'avoir si longtemps caché votre présence ?
Ces trésors dont le ciel voulut vous embellir,
Les avez-vous reçus pour les ensevelir ?
L'heureux Britannicus verra-t-il sans alarmes
Croître, loin de nos yeux, son amour et vos charmes ?
Pourquoi, de cette gloire exclu jusqu'à ce jour,
M'avez-vous, sans pitié, relégué dans ma cour ?
On dit plus : vous souffrez sans en être offensée
Qu'il vous ose, Madame, expliquer sa pensée.
Car je ne croirai point que sans me consulter
550 La sévère Junie ait voulu le flatter,
Ni qu'elle ait consenti d'aimer et d'être aimée,
Sans que j'en sois instruit que par la renommée.

JUNIE

Je ne vous nierai point, Seigneur, que ses soupirs
M'ont daigné quelquefois expliquer ses désirs.
Il n'a point détourné ses regards d'une fille,
Seul reste du débris d'une illustre famille.
Peut-être il se souvient qu'en un temps plus heureux
Son père me nomma pour l'objet de ses vœux.
Il m'aime ; il obéit à l'empereur son père,
560 Et j'ose dire encore, à vous, à votre mère :
Vos désirs sont toujours si conformes aux siens...

NÉRON

Ma mère a ses desseins, Madame, et j'ai les miens.
Ne parlons plus ici de Claude et d'Agrippine :
Ce n'est point par leur choix que je me détermine.
C'est à moi seul, Madame, à répondre de vous,
Et je veux de ma main vous choisir un époux.

JUNIE

Ah ! Seigneur, songez-vous que toute autre alliance
Fera honte aux Césars, auteurs de ma naissance ?

NÉRON

Non, Madame, l'époux dont je vous entretiens
570 Peut sans honte assembler vos aïeux et les siens,
Vous pouvez, sans rougir, consentir à sa flamme.

JUNIE

Et quel est donc, Seigneur, cet époux ?

NÉRON

Moi, Madame.

JUNIE

Vous ?

NÉRON

Je vous nommerais, Madame, un autre nom,
Si j'en avais quelque autre au-dessus de Néron.
Oui, pour vous faire un choix où vous puissiez souscrire,
J'ai parcouru des yeux la cour, Rome et l'empire.
Plus j'ai cherché, Madame, et plus je cherche encor
En quelles mains je dois confier ce trésor,
Plus je vois que César, digne seul de vous plaire,
580 En doit être lui seul l'heureux dépositaire,
Et ne peut dignement vous confier qu'aux mains
À qui Rome a commis l'empire des humains.
Vous-même, consultez vos premières années :
Claudius à son fils les avait destinées,
Mais c'était en un temps où de l'empire entier

Il croyait quelque jour le nommer l'héritier.
Les dieux ont prononcé. Loin de leur contredire,
C'est à vous de passer du côté de l'empire.
En vain de ce présent ils m'auraient honoré,
590 Si votre cœur devait en être séparé,
Si tant de soins ne sont adoucis par vos charmes,
Si tandis que je donne aux veilles, aux alarmes,
Des jours toujours à plaindre et toujours enviés,
Je ne vais quelquefois respirer à vos pieds.
Qu'Octavie à vos yeux ne fasse point d'ombrage :
Rome, aussi bien que moi, vous donne son suffrage,
Répudie Octavie, et me fait dénouer
Un hymen que le ciel ne veut point avouer.
Songez-y donc, Madame, et pesez en vous-même
600 Ce choix digne des soins d'un prince qui vous aime,
Digne de vos beaux yeux trop longtemps captivés,
Digne de l'univers à qui vous vous devez.

JUNIE

Seigneur, avec raison je demeure étonnée.
Je me vois, dans le cours d'une même journée,
Comme une criminelle amenée en ces lieux ;
Et lorsque avec frayeur je parais à vos yeux,
Que sur mon innocence à peine je me fie,
Vous m'offrez tout d'un coup la place d'Octavie.
J'ose dire pourtant que je n'ai mérité
610 Ni cet excès d'honneur, ni cette indignité.
Et pouvez-vous, Seigneur, souhaiter qu'une fille
Qui vit presque en naissant éteindre sa famille,
Qui dans l'obscurité nourrissant sa douleur,
S'est fait une vertu conforme à son malheur,
Passe subitement de cette nuit profonde
Dans un rang qui l'expose aux yeux de tout le monde,
Dont je n'ai pu de loin soutenir la clarté,
Et dont une autre enfin remplit la majesté ?

NÉRON

Je vous ai déjà dit que je la répudie.
620 Ayez moins de frayeur, ou moins de modestie.

N'accusez point ici mon choix d'aveuglement ;
Je vous réponds de vous ; consentez seulement.
Du sang dont vous sortez rappelez la mémoire,
Et ne préférez point à la solide gloire
Des honneurs dont César prétend vous revêtir,
La gloire d'un refus sujet au repentir.

JUNIE

Le ciel connaît, Seigneur, le fond de ma pensée.
Je ne me flatte point d'une gloire insensée :
Je sais de vos présents mesurer la grandeur ;
630 Mais plus ce rang sur moi répandrait de splendeur,
Plus il me ferait honte, et mettrait en lumière
Le crime d'en avoir dépouillé l'héritière.

NÉRON

C'est de ses intérêts prendre beaucoup de soin,
Madame ; et l'amitié ne peut aller plus loin.
Mais ne nous flattons point, et laissons le mystère :
La sœur vous touche ici beaucoup moins que le frère,
Et pour Britannicus...

JUNIE

Il a su me toucher,
Seigneur, et je n'ai point prétendu m'en cacher.
Cette sincérité sans doute est peu discrète ;
640 Mais toujours de mon cœur ma bouche est l'interprète.
Absente de la cour, je n'ai pas dû penser,
Seigneur, qu'en l'art de feindre il fallût m'exercer.
J'aime Britannicus. Je lui fus destinée
Quand l'empire devait suivre son hyménée :
Mais ces mêmes malheurs qui l'en ont écarté,
Ses honneurs abolis, son palais déserté,
La fuite d'une cour que sa chute a bannie,
Sont autant de liens qui retiennent Junie.
Tout ce que vous voyez conspire à vos désirs ;
650 Vos jours toujours sereins coulent dans les plaisirs :
L'empire en est pour vous l'inépuisable source ;
Ou, si quelque chagrin en interrompt la course,

Tout l'univers soigneux de les entretenir
S'empresse à l'effacer de votre souvenir.
Britannicus est seul. Quelque ennui qui le presse,
Il ne voit, dans son sort, que moi qui s'intéresse,
Et n'a pour tout plaisir, Seigneur, que quelques pleurs
Qui lui font quelquefois oublier ses malheurs.

NÉRON

Et ce sont ces plaisirs et ces pleurs que j'envie,
660 Que tout autre que lui me paierait de sa vie.
Mais je garde à ce prince un traitement plus doux :
Madame, il va bientôt paraître devant vous.

JUNIE

Ah, Seigneur ! vos vertus m'ont toujours rassurée.

NÉRON

Je pouvais de ces lieux lui défendre l'entrée ;
Mais, Madame, je veux prévenir le danger
Où son ressentiment le pourrait engager.
Je ne veux point le perdre : il vaut mieux que lui-même
Entende son arrêt de la bouche qu'il aime.
Si ses jours vous sont chers, éloignez-le de vous,
670 Sans qu'il ait aucun lieu de me croire jaloux.
De son bannissement prenez sur vous l'offense,
Et soit par vos discours, soit par votre silence,
Du moins par vos froideurs, faites-lui concevoir
Qu'il doit porter ailleurs ses vœux et son espoir.

JUNIE

Moi ! que je lui prononce un arrêt si sévère ?
Ma bouche mille fois lui jura le contraire.
Quand même jusque-là je pourrais me trahir,
Mes yeux lui défendront, Seigneur, de m'obéir.

NÉRON

Caché près de ces lieux, je vous verrai, Madame.
680 Renfermez votre amour dans le fond de votre âme.
Vous n'aurez point pour moi de langages secrets :

J'entendrai des regards que vous croirez muets,
Et sa perte sera l'infaillible salaire
D'un geste ou d'un soupir échappé pour lui plaire.

JUNIE

Hélas ! si j'ose encor former quelques souhaits,
Seigneur, permettez-moi de ne le voir jamais !

SCÈNE 4

Néron, Junie, Narcisse.

NARCISSE

Britannicus, Seigneur, demande la princesse :
Il approche.

NÉRON

Qu'il vienne.

JUNIE

Ah ! Seigneur !

NÉRON

Je vous laisse.
Sa fortune dépend de vous plus que de moi :
690 Madame, en le voyant, songez que je vous voi.

SCÈNE 5

Junie, Narcisse.

JUNIE

Ah ! cher Narcisse, cours au-devant de ton maître :
Dis-lui... Je suis perdue, et je le vois paraître !

SCÈNE 6

Junie, Britannicus, Narcisse.

BRITANNICUS

Madame, quel bonheur me rapproche de vous ?
Quoi ? je puis donc jouir d'un entretien si doux ?
Mais parmi ce plaisir, quel chagrin me dévore !
Hélas ! puis-je espérer de vous revoir encore ?
Faut-il que je dérobe, avec mille détours,
Un bonheur que vos yeux m'accordaient tous les jours ?
Quelle nuit ! quel réveil ! Vos pleurs, votre présence
700 N'ont point de ces cruels désarmé l'insolence ?
Que faisait votre amant ? Quel démon envieux
M'a refusé l'honneur de mourir à vos yeux ?
Hélas ! dans la frayeur dont vous étiez atteinte,
M'avez-vous en secret adressé quelque plainte ?
Ma princesse, avez-vous daigné me souhaiter ?
Songiez-vous aux douleurs que vous m'alliez coûter ?
Vous ne me dites rien ? Quel accueil ! Quelle glace !
Est-ce ainsi que vos yeux consolent ma disgrâce ?
Parlez : nous sommes seuls. Notre ennemi trompé
710 Tandis que je vous parle est ailleurs occupé.
Ménageons les moments de cette heureuse absence.

JUNIE

Vous êtes en des lieux tout pleins de sa puissance.
Ces murs mêmes, Seigneur, peuvent avoir des yeux,
Et jamais l'empereur n'est absent de ces lieux.

BRITANNICUS

Et depuis quand, Madame, êtes-vous si craintive ?
Quoi ? déjà votre amour souffre qu'on le captive ?
Qu'est devenu ce cœur qui me jurait toujours
De faire à Néron même envier nos amours ?

Mais bannissez, Madame, une inutile crainte.
720 La foi dans tous les cœurs n'est pas encore éteinte ;
Chacun semble des yeux approuver mon courroux,
La mère de Néron se déclare pour nous,
Rome, de sa conduite elle-même offensée...

JUNIE

Ah ! Seigneur, vous parlez contre votre pensée.
Vous-même, vous m'avez avoué mille fois
Que Rome le louait d'une commune voix ;
Toujours à sa vertu vous rendiez quelque hommage.
Sans doute la douleur vous dicte ce langage.

BRITANNICUS

Ce discours me surprend, il le faut avouer.
730 Je ne vous cherchais pas pour l'entendre louer.
Quoi ? pour vous confier la douleur qui m'accable,
À peine je dérobe un moment favorable,
Et ce moment si cher, Madame, est consumé
À louer l'ennemi dont je suis opprimé ?
Qui vous rend à vous-même, en un jour, si contraire ?
Quoi ! même vos regards ont appris à se taire ?
Que vois-je ? Vous craignez de rencontrer mes yeux ?
Néron vous plairait-il ? Vous serais-je odieux ?
Ah ! si je le croyais... Au nom des dieux, Madame,
740 Éclaircissez le trouble où vous jetez mon âme.
Parlez. Ne suis-je plus dans votre souvenir ?

JUNIE

Retirez-vous, Seigneur ; l'empereur va venir.

BRITANNICUS

Après ce coup, Narcisse, à qui dois-je m'attendre [1] ?

1. Sur qui dois-je compter ?

SCÈNE 7

Néron, Junie, Narcisse.

NÉRON

Madame...

JUNIE

Non, Seigneur, je ne puis rien entendre.
Vous êtes obéi. Laissez couler du moins
Des larmes dont ses yeux ne seront pas témoins.

SCÈNE 8

Néron, Narcisse.

NÉRON

Eh bien ! de leur amour tu vois la violence,
Narcisse : elle a paru jusque dans son silence !
Elle aime mon rival, je ne puis l'ignorer ;
750 Mais je mettrai ma joie à le désespérer.
Je me fais de sa peine une image charmante,
Et je l'ai vu douter du cœur de son amante.
Je la suis. Mon rival t'attend pour éclater :
Par de nouveaux soupçons, va, cours le tourmenter.
Et tandis qu'à mes yeux on le pleure, on l'adore,
Fais-lui payer bien cher un bonheur qu'il ignore.

NARCISSE, *seul.*

La fortune t'appelle une seconde fois,
Narcisse : voudrais-tu résister à sa voix ?
Suivons jusques au bout ses ordres favorables ;
760 Et pour nous rendre heureux, perdons les misérables.

ACTE III

SCÈNE 1

Néron, Burrhus.

BURRHUS

Pallas obéira, Seigneur.

NÉRON

Et de quel œil
Ma mère a-t-elle vu confondre son orgueil ?

BURRHUS

Ne doutez point, Seigneur, que ce coup ne la frappe,
Qu'en reproches bientôt sa douleur ne s'échappe.
Ses transports dès longtemps commencent d'éclater.
À d'inutiles cris puissent-ils s'arrêter !

NÉRON

Quoi ? de quelque dessein la croyez-vous capable ?

BURRHUS

Agrippine, Seigneur, est toujours redoutable.
Rome et tous vos soldats révèrent ses aïeux ;
770 Germanicus son père est présent à leurs yeux.
Elle sait son pouvoir ; vous savez son courage ;
Et ce qui me la fait redouter davantage,
C'est que vous appuyez vous-même son courroux
Et que vous lui donnez des armes contre vous.

NÉRON

Moi, Burrhus ?

BURRHUS

Cet amour, Seigneur, qui vous possède...

NÉRON

Je vous entends, Burrhus. Le mal est sans remède.
Mon cœur s'en est plus dit que vous ne m'en direz ;
Il faut que j'aime enfin.

BURRHUS

Vous vous le figurez,
Seigneur ; et satisfait de quelque résistance,
780 Vous redoutez un mal faible dans sa naissance.
Mais si, dans son devoir, votre cœur affermi
Voulait ne point s'entendre avec son ennemi,
Si de vos premiers ans vous consultiez la gloire,
Si vous daigniez, Seigneur, rappeler la mémoire
Des vertus d'Octavie indignes de ce prix,
Et de son chaste amour vainqueur de vos mépris,
Surtout si, de Junie évitant la présence,
Vous condamniez vos yeux à quelques jours d'absence :
Croyez-moi, quelque amour qui semble vous charmer,
790 On n'aime point, Seigneur, si l'on ne veut aimer.

NÉRON

Je vous croirai, Burrhus, lorsque dans les alarmes
Il faudra soutenir la gloire de nos armes,
Ou lorsque, plus tranquille, assis dans le sénat,
Il faudra décider du destin de l'État :
Je m'en reposerai sur votre expérience.
Mais, croyez-moi, l'amour est une autre science,
Burrhus, et je ferais quelque difficulté
D'abaisser jusque-là votre sévérité.
Adieu. Je souffre trop, éloigné de Junie.

SCÈNE 2

BURRHUS, *seul.*

800 Enfin, Burrhus, Néron découvre son génie :
Cette férocité que tu croyais fléchir,
De tes faibles liens est prête à s'affranchir.
En quels excès peut-être elle va se répandre !
Ô dieux ! en ce malheur quel conseil dois-je prendre ?
Sénèque, dont les soins me devraient soulager,
Occupé loin de Rome, ignore ce danger.
Mais quoi ? si d'Agrippine excitant la tendresse
Je pouvais... La voici : mon bonheur me l'adresse.

SCÈNE 3

Agrippine, Burrhus, Albine.

AGRIPPINE

Eh bien ! je me trompais, Burrhus, dans mes soupçons ?
800 Et vous vous signalez par d'illustres leçons !
On exile Pallas, dont le crime peut-être
Est d'avoir à l'empire élevé votre maître.
Vous le savez trop bien : jamais, sans ses avis,
Claude qu'il gouvernait n'eût adopté mon fils.
Que dis-je ? À son épouse on donne une rivale ;
On affranchit Néron de la foi conjugale !
Digne emploi d'un ministre ennemi des flatteurs,
Choisi pour mettre un frein à ses jeunes ardeurs,
De les flatter lui-même, et nourrir dans son âme
820 Le mépris de sa mère et l'oubli de sa femme !

BURRHUS

Madame, jusqu'ici c'est trop tôt m'accuser.
L'empereur n'a rien fait qu'on ne puisse excuser.

N'imputez qu'à Pallas un exil nécessaire :
Son orgueil dès longtemps exigeait ce salaire,
Et l'empereur ne fait qu'accomplir à regret
Ce que toute la cour demandait en secret.
Le reste est un malheur qui n'est point sans ressource :
Des larmes d'Octavie on peut tarir la source.
Mais calmez vos transports. Par un chemin plus doux,
830 Vous lui pourrez plus tôt ramener son époux :
Les menaces, les cris le rendront plus farouche.

AGRIPPINE

Ah ! l'on s'efforce en vain de me fermer la bouche.
Je vois que mon silence irrite vos dédains,
Et c'est trop respecter l'ouvrage de mes mains.
Pallas n'emporte pas tout l'appui d'Agrippine :
Le ciel m'en laisse assez pour venger ma ruine.
Le fils de Claudius commence à ressentir
Des crimes dont je n'ai que le seul repentir.
J'irai, n'en doutez point, le montrer à l'armée,
840 Plaindre aux yeux des soldats son enfance opprimée,
Leur faire, à mon exemple, expier leur erreur.
On verra d'un côté le fils d'un empereur
Redemandant la foi jurée à sa famille,
Et de Germanicus on entendra la fille ;
De l'autre, l'on verra le fils d'Ænobarbus,
Appuyé de Sénèque et du tribun Burrhus,
Qui tous deux, de l'exil rappelés par moi-même,
Partagent à mes yeux l'autorité suprême.
De nos crimes communs je veux qu'on soit instruit ;
850 On saura les chemins par où je l'ai conduit.
Pour rendre sa puissance et la vôtre odieuses,
J'avouerai les rumeurs les plus injurieuses :
Je confesserai tout, exils, assassinats,
Poison même...

BURRHUS

Madame, ils ne vous croiront pas.
Ils sauront récuser l'injuste stratagème
D'un témoin irrité qui s'accuse lui-même.

Pour moi, qui le premier secondai vos desseins,
Qui fis même jurer l'armée entre ses mains,
Je ne me repens point de ce zèle sincère.
860 Madame, c'est un fils qui succède à son père.
En adoptant Néron, Claudius par son choix
De son fils et du vôtre a confondu les droits.
Rome l'a pu choisir. Ainsi, sans être injuste,
Elle choisit Tibère adopté par Auguste ;
Et le jeune Agrippa, de son sang descendu,
Se vit exclu du rang vainement prétendu.
Sur tant de fondements sa puissance établie
Par vous-même aujourd'hui ne peut être affaiblie :
Et s'il m'écoute encor, Madame, sa bonté
870 Vous en fera bientôt perdre la volonté.
J'ai commencé, je vais poursuivre mon ouvrage.

SCÈNE 4

Agrippine, Albine.

ALBINE

Dans quel emportement la douleur vous engage,
Madame ! L'empereur puisse-t-il l'ignorer !

AGRIPPINE

Ah ! lui-même à mes yeux puisse-t-il se montrer !

ALBINE

Madame, au nom des dieux, cachez votre colère.
Quoi ? pour les intérêts de la sœur ou du frère,
Faut-il sacrifier le repos de vos jours ?
Contraindrez-vous César jusque dans ses amours ?

AGRIPPINE

Quoi ? tu ne vois donc pas jusqu'où l'on me ravale,
880 Albine ? C'est à moi qu'on donne une rivale.
Bientôt, si je ne romps ce funeste lien,

Ma place est occupée et je ne suis plus rien.
Jusqu'ici d'un vain titre Octavie honorée,
Inutile à la cour, en était ignorée.
Les grâces, les honneurs, par moi seule versés,
M'attiraient des mortels les vœux intéressés.
Une autre de César a surpris la tendresse :
Elle aura le pouvoir d'épouse et de maîtresse,
Le fruit de tant de soins, la pompe des Césars,
890 Tout deviendra le prix d'un seul de ses regards.
Que dis-je ? l'on m'évite, et déjà délaissée...
Ah ! je ne puis, Albine, en souffrir la pensée.
Quand je devrais du ciel hâter l'arrêt fatal [1],
Néron, l'ingrat Néron... Mais voici son rival.

SCÈNE 5

Britannicus, Agrippine, Narcisse, Albine.

BRITANNICUS

Nos ennemis communs ne sont pas invincibles,
Madame, nos malheurs trouvent des cœurs sensibles.
Vos amis et les miens, jusqu'alors si secrets,
Tandis que nous perdions le temps en vains regrets,
Animés du courroux qu'allume l'injustice,
900 Viennent de confier leur douleur à Narcisse.
Néron n'est pas encor tranquille possesseur
De l'ingrate qu'il aime au mépris de ma sœur.
Si vous êtes toujours sensible à son injure,
On peut dans son devoir ramener le parjure.
La moitié du sénat s'intéresse pour nous :
Sylla, Pison, Plautus...

1. D'après Tacite, on avait prédit à Agrippine qu'elle serait tuée par Néron.

AGRIPPINE

Prince, que dites-vous ?
Sylla, Pison, Plautus ! les chefs de la noblesse !

BRITANNICUS

Madame, je vois bien que ce discours vous blesse ;
Et que votre courroux, tremblant, irrésolu,
910 Craint déjà d'obtenir tout ce qu'il a voulu.
Non, vous avez trop bien établi ma disgrâce :
D'aucun ami pour moi ne redoutez l'audace.
Il ne m'en reste plus, et vos soins trop prudents
Les ont tous écartés ou séduits dès longtemps.

AGRIPPINE

Seigneur, à vos soupçons donnez moins de créance :
Notre salut dépend de notre intelligence.
J'ai promis, il suffit. Malgré vos ennemis,
Je ne révoque rien de ce que j'ai promis.
Le coupable Néron fuit en vain ma colère :
920 Tôt ou tard il faudra qu'il entende sa mère.
J'essaierai tour à tour la force et la douceur,
Ou moi-même, avec moi conduisant votre sœur,
J'irai semer partout ma crainte et ses alarmes,
Et ranger tous les cœurs du parti de ses larmes.
Adieu. J'assiégerai Néron de toutes parts.
Vous, si vous m'en croyez, évitez ses regards.

SCÈNE 6

Britannicus, Narcisse.

BRITANNICUS

Ne m'as-tu point flatté d'une fausse espérance ?
Puis-je sur ton récit fonder quelque assurance,
Narcisse ?

NARCISSE

Oui. Mais, Seigneur, ce n'est pas en ces lieux
930 Qu'il faut développer ce mystère à vos yeux.
Sortons. Qu'attendez-vous ?

BRITANNICUS

Ce que j'attends, Narcisse ?
Hélas !

NARCISSE

Expliquez-vous.

BRITANNICUS

Si par ton artifice,
Je pouvais revoir...

NARCISSE

Qui ?

BRITANNICUS

J'en rougis. Mais enfin
D'un cœur moins agité j'attendrais mon destin.

NARCISSE

Après tous mes discours, vous la croyez fidèle ?

BRITANNICUS

Non, je la crois, Narcisse, ingrate, criminelle,
Digne de mon courroux ; mais je sens, malgré moi,
Que je ne le crois pas autant que je le doi.
Dans ses égarements mon cœur opiniâtre
940 Lui prête des raisons, l'excuse, l'idolâtre.
Je voudrais vaincre enfin mon incrédulité,
Je la voudrais haïr avec tranquillité.
Et qui croira qu'un cœur si grand en apparence,
D'une infidèle cour ennemi dès l'enfance,
Renonce à tant de gloire, et dès le premier jour
Trame une perfidie inouïe à la cour ?

NARCISSE

Et qui sait si l'ingrate, en sa longue retraite,
N'a point de l'empereur médité la défaite ?
Trop sûre que ses yeux ne pouvaient se cacher,
950 Peut-être elle fuyait pour se faire chercher,
Pour exciter Néron par la gloire pénible
De vaincre une fierté jusqu'alors invincible.

BRITANNICUS

Je ne la puis donc voir ?

NARCISSE

Seigneur, en ce moment
Elle reçoit les vœux de son nouvel amant.

BRITANNICUS

Eh bien ! Narcisse, allons. Mais que vois-je ? C'est elle.

NARCISSE, *à part.*

Ah ! dieux ! À l'empereur portons cette nouvelle.

SCÈNE 7

Britannicus, Junie.

JUNIE

Retirez-vous, Seigneur, et fuyez un courroux
Que ma persévérance allume contre vous.
Néron est irrité. Je me suis échappée
960 Tandis qu'à l'arrêter sa mère est occupée.
Adieu ; réservez-vous, sans blesser mon amour,
Au plaisir de me voir justifier un jour ;
Votre image sans cesse est présente à mon âme :
Rien ne l'en peut bannir.

BRITANNICUS

Je vous entends, Madame ;
Vous voulez que ma fuite assure vos désirs,
Que je laisse un champ libre à vos nouveaux soupirs.
Sans doute, en me voyant, une pudeur secrète
Ne vous laisse goûter qu'une joie inquiète.
Eh bien ! il faut partir.

JUNIE

Seigneur, sans m'imputer...

BRITANNICUS

970 Ah ! vous deviez du moins plus longtemps disputer.
Je ne murmure point qu'une amitié commune
Se range du parti que flatte la fortune ;
Que l'éclat d'un empire ait pu vous éblouir ;
Qu'aux dépens de ma sœur vous en vouliez jouir ;
Mais que de ces grandeurs comme une autre occupée
Vous m'en ayez paru si longtemps détrompée,
Non, je l'avoue encor, mon cœur désespéré
Contre ce seul malheur n'était point préparé.
J'ai vu sur ma ruine élever l'injustice ;
980 De mes persécuteurs j'ai vu le ciel complice ;
Tant d'horreurs n'avaient point épuisé son courroux,
Madame ; il me restait d'être oublié de vous.

JUNIE

Dans un temps plus heureux ma juste impatience
Vous ferait repentir de votre défiance.
Mais Néron vous menace : en ce pressant danger,
Seigneur, j'ai d'autres soins que de vous affliger.
Allez, rassurez-vous et cessez de vous plaindre :
Néron nous écoutait, et m'ordonnait de feindre.

BRITANNICUS

Quoi ? le cruel...

JUNIE

Témoin de tout notre entretien,

990 D'un visage sévère examinait le mien,
Prêt à faire sur vous éclater la vengeance
D'un geste confident de notre intelligence.

BRITANNICUS

Néron nous écoutait, Madame ! Mais, hélas !
Vos yeux auraient pu feindre et ne m'abuser pas ;
Ils pouvaient me nommer l'auteur de cet outrage.
L'amour est-il muet, ou n'a-t-il qu'un langage ?
De quel trouble un regard pouvait me préserver !
Il fallait...

JUNIE

Il fallait me taire et vous sauver.
Combien de fois, hélas ! puisqu'il faut vous le dire,
1000 Mon cœur de son désordre allait-il vous instruire ?
De combien de soupirs interrompant le cours
Ai-je évité vos yeux que je cherchais toujours ?
Quel tourment de se taire en voyant ce qu'on aime,
De l'entendre gémir, de l'affliger soi-même,
Lorsque par un regard on peut le consoler !
Mais quels pleurs ce regard aurait-il fait couler !
Ah ! dans ce souvenir, inquiète, troublée,
Je ne me sentais pas assez dissimulée.
De mon front effrayé je craignais la pâleur,
1010 Je trouvais mes regards trop pleins de ma douleur.
Sans cesse il me semblait que Néron en colère
Me venait reprocher trop de soin de vous plaire,
Je craignais mon amour vainement renfermé,
Enfin, j'aurais voulu n'avoir jamais aimé.
Hélas ! pour son bonheur, Seigneur, et pour le nôtre,
Il n'est que trop instruit de mon cœur et du vôtre !
Allez, encore un coup, cachez-vous à ses yeux :
Mon cœur plus à loisir vous éclaircira mieux.
De mille autres secrets j'aurais compte à vous rendre.

BRITANNICUS

1020 Ah ! n'en voilà que trop. C'est trop me faire entendre,
Madame, mon bonheur, mon crime, vos bontés.

Et savez-vous pour moi tout ce que vous quittez ?
Quand pourrai-je à vos pieds expier ce reproche ?

JUNIE

Que faites-vous ? Hélas ! votre rival s'approche.

SCÈNE 8

Néron, Britannicus, Junie.

NÉRON

Prince, continuez des transports si charmants.
Je conçois vos bontés par ses remerciements,
Madame. À vos genoux je viens de le surprendre,
Mais il aurait aussi quelque grâce à me rendre :
Ce lieu le favorise, et je vous y retiens
1030 Pour lui faciliter de si doux entretiens.

BRITANNICUS

Je puis mettre à ses pieds ma douleur ou ma joie
Partout où sa bonté consent que je la voie ;
Et l'aspect de ces lieux où vous la retenez
N'a rien dont mes regards doivent être étonnés.

NÉRON

Et que vous montrent-ils qui ne vous avertisse
Qu'il faut qu'on me respecte et que l'on m'obéisse ?

BRITANNICUS

Ils ne nous ont pas vus l'un et l'autre élever,
Moi pour vous obéir et vous pour me braver,
Et ne s'attendaient pas, lorsqu'ils nous virent naître,
1040 Qu'un jour Domitius me dût parler en maître.

NÉRON

Ainsi par le destin nos vœux sont traversés :
J'obéissais alors, et vous obéissez.
Si vous n'avez appris à vous laisser conduire,
Vous êtes jeune encore, et l'on peut vous instruire.

BRITANNICUS

Et qui m'en instruira ?

NÉRON

Tout l'empire à la fois,
Rome.

BRITANNICUS

Rome met-elle au nombre de vos droits
Tout ce qu'a de cruel l'injustice et la force,
Les emprisonnements, le rapt et le divorce ?

NÉRON

Rome ne porte point ses regards curieux
1050 Jusque dans des secrets que je cache à ses yeux.
Imitez son respect.

BRITANNICUS

On sait ce qu'elle en pense.

NÉRON

Elle se tait du moins : imitez son silence.

BRITANNICUS

Ainsi Néron commence à ne plus se forcer.

NÉRON

Néron de vos discours commence à se lasser.

BRITANNICUS

Chacun devait bénir le bonheur de son règne.

NÉRON

Heureux ou malheureux, il suffit qu'on me craigne.

BRITANNICUS

Je connais mal Junie ou de tels sentiments
Ne mériteront pas ses applaudissements.

NÉRON

Du moins, si je ne sais le secret de lui plaire,
1060 Je sais l'art de punir un rival téméraire.

BRITANNICUS

Pour moi, quelque péril qui me puisse accabler,
Sa seule inimitié peut me faire trembler.

NÉRON

Souhaitez-la, c'est tout ce que je vous puis dire.

BRITANNICUS

Le bonheur de lui plaire est le seul où j'aspire.

NÉRON

Elle vous l'a promis, vous lui plairez toujours.

BRITANNICUS

Je ne sais pas du moins épier ses discours.
Je la laisse expliquer sur tout ce qui me touche,
Et ne me cache point pour lui fermer la bouche.

NÉRON

Je vous entends. Eh bien, gardes !

JUNIE

Que faites-vous ?
1070 C'est votre frère. Hélas ! C'est un amant jaloux ;
Seigneur, mille malheurs persécutent sa vie.
Ah ! son bonheur peut-il exciter votre envie ?
Souffrez que de vos cœurs rapprochant les liens,

Je me cache à vos yeux et me dérobe aux siens ;
Ma fuite arrêtera vos discordes fatales,
Seigneur, j'irai remplir le nombre des vestales.
Ne lui disputez plus mes vœux infortunés,
Souffrez que les dieux seuls en soient importunés.

NÉRON

L'entreprise, Madame, est étrange et soudaine.
1080 Dans son appartement, gardes, qu'on la ramène.
Gardez Britannicus dans celui de sa sœur.

BRITANNICUS

C'est ainsi que Néron sait disputer un cœur.

JUNIE

Prince, sans l'irriter, cédons à cet orage.

NÉRON

Gardes, obéissez sans tarder davantage.

SCÈNE 9

Néron, Burrhus.

BURRHUS

Que vois-je ? Ô ciel !

NÉRON, *sans voir Burrhus.*

Ainsi leurs feux sont redoublés.
Je reconnais la main qui les a rassemblés.
Agrippine ne s'est présentée à ma vue,
Ne s'est dans ses discours si longtemps étendue,
Que pour faire jouer ce ressort odieux.
1090 Qu'on sache si ma mère est encore en ces lieux.
Burrhus, dans ce palais je veux qu'on la retienne,
Et qu'au lieu de sa garde on lui donne la mienne.

BURRHUS

Quoi, Seigneur ? sans l'ouïr ? Une mère ?

NÉRON

Arrêtez.

J'ignore quel projet, Burrhus, vous méditez,
Mais depuis quelques jours tout ce que je désire
Trouve en vous un censeur prêt à me contredire.
Répondez-m'en, vous dis-je ; ou sur votre refus
D'autres me répondront et d'elle et de Burrhus.

ACTE IV

SCÈNE 1

Agrippine, Burrhus.

BURRHUS

Oui, Madame, à loisir vous pourrez vous défendre :
1100 César lui-même ici consent de vous entendre.
Si son ordre au palais vous a fait retenir,
C'est peut-être à dessein de vous entretenir.
Quoi qu'il en soit, si j'ose expliquer ma pensée,
Ne vous souvenez plus qu'il vous ait offensée :
Préparez-vous plutôt à lui tendre les bras ;
Défendez-vous, Madame, et ne l'accusez pas.
Vous voyez, c'est lui seul que la cour envisage.
Quoiqu'il soit votre fils, et même votre ouvrage,
Il est votre empereur. Vous êtes, comme nous,
1110 Sujette à ce pouvoir qu'il a reçu de vous.
Selon qu'il vous menace, ou bien qu'il vous caresse,
La cour autour de vous ou s'écarte ou s'empresse.
C'est son appui qu'on cherche en cherchant votre
[appui.
Mais voici l'empereur.

AGRIPPINE

Qu'on me laisse avec lui.

SCÈNE 2

Néron, Agrippine.

AGRIPPINE, *s'asseyant.*

Approchez-vous, Néron, et prenez votre place.
On veut sur vos soupçons que je vous satisfasse.
J'ignore de quel crime on a pu me noircir :
De tous ceux que j'ai faits je vais vous éclaircir [1].
Vous régnez : vous savez combien votre naissance
1120 Entre l'empire et vous avait mis de distance.
Les droits de mes aïeux, que Rome a consacrés,
Étaient même sans moi d'inutiles degrés.
Quand de Britannicus la mère condamnée
Laissa de Claudius disputer l'hyménée,
Parmi tant de beautés qui briguèrent son choix,
Qui de ses affranchis mendièrent les voix,
Je souhaitai son lit, dans la seule pensée
De vous laisser au trône où je serais placée.
Je fléchis mon orgueil, j'allai prier Pallas.
1130 Son maître, chaque jour caressé dans mes bras,
Prit insensiblement dans les yeux de sa nièce
L'amour où je voulais amener sa tendresse.
Mais ce lien du sang qui nous joignait tous deux
Écartait Claudius d'un lit incestueux ;
Il n'osait épouser la fille de son frère.
Le sénat fut séduit : une loi moins sévère
Mit Claude dans mon lit, et Rome à mes genoux.
C'était beaucoup pour moi, ce n'était rien pour vous.
Je vous fis sur mes pas entrer dans sa famille :
1140 Je vous nommai son gendre, et vous donnai sa fille ;
Silanus, qui l'aimait, s'en vit abandonné
Et marqua de son sang ce jour infortuné.
Ce n'était rien encore. Eussiez-vous pu prétendre

1. Pour mieux comprendre le récit d'Agrippine, se reporter à l'Index nominum.

Qu'un jour Claude à son fils pût préférer son gendre ?
De ce même Pallas j'implorai le secours :
Claude vous adopta, vaincu par ses discours,
Vous appela Néron, et du pouvoir suprême
Voulut, avant le temps, vous faire part lui-même.
C'est alors que chacun, rappelant le passé,
1150 Découvrit mon dessein déjà trop avancé,
Que de Britannicus la disgrâce future
Des amis de son père excita le murmure.
Mes promesses aux uns éblouirent les yeux ;
L'exil me délivra des plus séditieux ;
Claude même, lassé de ma plainte éternelle,
Éloigna de son fils tous ceux de qui le zèle,
Engagé dès longtemps à suivre son destin,
Pouvait du trône encor lui rouvrir le chemin.
Je fis plus : je choisis moi-même dans ma suite
1160 Ceux à qui je voulais qu'on livrât sa conduite ;
J'eus soin de vous nommer, par un contraire choix,
Des gouverneurs que Rome honorait de sa voix ;
Je fus sourde à la brigue, et crus la renommée :
J'appelai de l'exil, je tirai de l'armée,
Et ce même Sénèque, et ce même Burrhus,
Qui depuis... Rome alors estimait leurs vertus.
De Claude en même temps épuisant les richesses,
Ma main, sous votre nom, répandait ses largesses.
Les spectacles, les dons, invincibles appas,
1170 Vous attiraient les cœurs du peuple et des soldats,
Qui d'ailleurs, réveillant leur tendresse première,
Favorisaient en vous Germanicus mon père.
Cependant Claudius penchait vers son déclin.
Ses yeux, longtemps fermés, s'ouvrirent à la fin :
Il connut son erreur. Occupé de sa crainte,
Il laissa pour son fils échapper quelque plainte,
Et voulut, mais trop tard, assembler ses amis.
Ses gardes, son palais, son lit m'étaient soumis.
Je lui laissai sans fruit consumer sa tendresse ;
1180 De ses derniers soupirs je me rendis maîtresse ;
Mes soins, en apparence épargnant ses douleurs,
De son fils, en mourant, lui cachèrent les pleurs.

Il mourut. Mille bruits en courent à ma honte[1].
J'arrêtai de sa mort la nouvelle trop prompte,
Et tandis que Burrhus allait secrètement
De l'armée en vos mains exiger le serment,
Que vous marchiez au camp, conduit sous mes auspices,
Dans Rome les autels fumaient de sacrifices :
Par mes ordres trompeurs tout le peuple excité
1190 Du prince déjà mort demandait la santé.
Enfin des légions l'entière obéissance
Ayant de votre empire affermi la puissance,
On vit Claude, et le peuple, étonné de son sort,
Apprit en même temps votre règne et sa mort.
C'est le sincère aveu que je voulais vous faire.
Voilà tous mes forfaits. En voici le salaire.
Du fruit de tant de soins à peine jouissant
En avez-vous six mois paru reconnaissant,
Que lassé d'un respect qui vous gênait peut-être,
1200 Vous avez affecté de ne me plus connaître.
J'ai vu Burrhus, Sénèque, aigrissant vos soupçons,
De l'infidélité vous tracer des leçons,
Ravis d'être vaincus dans leur propre science.
J'ai vu favorisés de votre confiance
Othon, Sénécion, jeunes voluptueux,
Et de tous vos plaisirs flatteurs respectueux;
Et lorsque vos mépris excitant mes murmures,
Je vous ai demandé raison de tant d'injures,
Seul recours d'un ingrat qui se voit confondu,
1210 Par de nouveaux affronts vous m'avez répondu.
Aujourd'hui je promets Junie à votre frère,
Ils se flattent tous deux du choix de votre mère :
Que faites-vous ? Junie, enlevée à la cour,
Devient en une nuit l'objet de votre amour ;
Je vois de votre cœur Octavie effacée,
Prête à sortir du lit où je l'avais placée ;
Je vois Pallas banni, votre frère arrêté ;
Vous attentez enfin jusqu'à ma liberté :

1. Elle fut accusée d'avoir empoisonné Claude.

Burrhus ose sur moi porter ses mains hardies.
1120 Et lorsque, convaincu de tant de perfidies,
Vous deviez ne me voir que pour les expier,
C'est vous qui m'ordonnez de me justifier.

NÉRON

Je me souviens toujours que je vous dois l'empire,
Et sans vous fatiguer du soin de le redire,
Votre bonté, Madame, avec tranquillité
Pouvait se reposer sur ma fidélité.
Aussi bien ces soupçons, ces plaintes assidues,
Ont fait croire à tous ceux qui les ont entendues
Que jadis (j'ose ici vous le dire entre nous)
1230 Vous n'aviez, sous mon nom, travaillé que pour vous.
« Tant d'honneurs, disaient-ils, et tant de déférences,
Sont-ce de ses bienfaits de faibles récompenses ?
Quel crime a donc commis ce fils tant condamné ?
Est-ce pour obéir qu'elle l'a couronné ?
N'est-il de son pouvoir que le dépositaire ? »
Non que, si jusque-là j'avais pu vous complaire,
Je n'eusse pris plaisir, Madame, à vous céder
Ce pouvoir que vos cris semblaient redemander ;
Mais Rome veut un maître, et non une maîtresse.
1240 Vous entendiez les bruits qu'excitait ma faiblesse.
Le sénat chaque jour et le peuple, irrités
De s'ouïr par ma voix dicter vos volontés,
Publiaient qu'en mourant Claude avec sa puissance
M'avait encor laissé sa simple obéissance.
Vous avez vu cent fois nos soldats en courroux
Porter en murmurant leurs aigles [1] devant vous,
Honteux de rabaisser par cet indigne usage
Les héros dont encore elles portent l'image.
Toute autre se serait rendue à leurs discours,
1250 Mais si vous ne régnez, vous vous plaignez toujours.
Avec Britannicus contre moi réunie,
Vous le fortifiez du parti de Junie,

1. Enseignes militaires en forme d'aigle (au féminin, dans ce sens).

Et la main de Pallas trame tous ces complots.
Et lorsque malgré moi j'assure mon repos,
On vous voit de colère et de haine animée.
Vous voulez présenter mon rival à l'armée :
Déjà jusques au camp le bruit en a couru.

AGRIPPINE

Moi, le faire empereur ? Ingrat ! l'avez-vous cru ?
Quel serait mon dessein ? qu'aurais-je pu prétendre ?
1260 Quels honneurs dans sa cour, quel rang pourrais-je [attendre ?
Ah ! si sous votre empire on ne m'épargne pas,
Si mes accusateurs observent tous mes pas,
Si de leur empereur ils poursuivent la mère,
Que ferais-je au milieu d'une cour étrangère ?
Ils me reprocheraient, non des cris impuissants,
Des desseins étouffés aussitôt que naissants,
Mais des crimes pour vous commis à votre vue,
Et dont je ne serais que trop tôt convaincue.
Vous ne me trompez point, je vois tous vos détours :
1270 Vous êtes un ingrat, vous le fûtes toujours.
Dès vos plus jeunes ans, mes soins et mes tendresses
N'ont arraché de vous que de feintes caresses.
Rien ne vous a pu vaincre, et votre dureté
Aurait dû dans son cours arrêter ma bonté.
Que je suis malheureuse ! Et par quelle infortune
Faut-il que tous mes soins me rendent importune ?
Je n'ai qu'un fils. Ô ciel, qui m'entends aujourd'hui,
T'ai-je fait quelques vœux qui ne fussent pour lui ?
Remords, crainte, périls, rien ne m'a retenue ;
1280 J'ai vaincu ses mépris ; j'ai détourné ma vue
Des malheurs qui dès lors me furent annoncés ;
J'ai fait ce que j'ai pu : vous régnez, c'est assez.
Avec ma liberté que vous m'avez ravie,
Si vous le souhaitez prenez encor ma vie,
Pourvu que par ma mort tout le peuple irrité
Ne vous ravisse pas ce qui m'a tant coûté.

NÉRON

Eh bien donc ! prononcez. Que voulez-vous qu'on
[fasse ?

AGRIPPINE

De mes accusateurs qu'on punisse l'audace ;
Que de Britannicus on calme le courroux ;
1290 Que Junie à son choix puisse prendre un époux ;
Qu'ils soient libres tous deux, et que Pallas demeure ;
Que vous me permettiez de vous voir à toute heure ;
Que ce même Burrhus, qui nous vient écouter,
À votre porte enfin n'ose plus m'arrêter.

NÉRON

Oui, Madame, je veux que ma reconnaissance
Désormais dans les cœurs grave votre puissance,
Et je bénis déjà cette heureuse froideur,
Qui de notre amitié va rallumer l'ardeur.
Quoi que Pallas ait fait, il suffit, je l'oublie,
1300 Avec Britannicus je me réconcilie,
Et quant à cet amour qui nous a séparés,
Je vous fais notre arbitre, et vous nous jugerez.
Allez donc, et portez cette joie à mon frère.
Gardes, qu'on obéisse aux ordres de ma mère.

SCÈNE 3

Néron, Burrhus.

BURRHUS

Que cette paix, Seigneur, et ces embrassements
Vont offrir à mes yeux des spectacles charmants !
Vous savez si jamais ma voix lui fut contraire,
Si de son amitié j'ai voulu vous distraire,
Et si j'ai mérité cet injuste courroux.

NÉRON

1310 Je ne vous flatte point, je me plaignais de vous,
Burrhus : je vous ai crus tous deux d'intelligence,
Mais son inimitié vous rend ma confiance.
Elle se hâte trop, Burrhus, de triompher :
J'embrasse mon rival, mais c'est pour l'étouffer.

BURRHUS

Quoi, Seigneur ?

NÉRON

C'en est trop : il faut que sa ruine
Me délivre à jamais des fureurs d'Agrippine.
Tant qu'il respirera je ne vis qu'à demi.
Elle m'a fatigué de ce nom ennemi ;
Et je ne prétends pas que sa coupable audace
1320 Une seconde fois lui promette ma place.

BURRHUS

Elle va donc bientôt pleurer Britannicus ?

NÉRON

Avant la fin du jour je ne le craindrai plus.

BURRHUS

Et qui de ce dessein vous inspire l'envie ?

NÉRON

Ma gloire, mon amour, ma sûreté, ma vie.

BURRHUS

Non, quoi que vous disiez, cet horrible dessein
Ne fut jamais, Seigneur, conçu dans votre sein.

NÉRON

Burrhus !

BURRHUS

De votre bouche, ô ciel ! puis-je l'apprendre ?
Vous-même sans frémir avez-vous pu l'entendre ?

Songez-vous dans quel sang vous allez vous baigner ?
1330 Néron dans tous les cœurs est-il las de régner ?
Que dira-t-on de vous ? Quelle est votre pensée ?

NÉRON

Quoi ? toujours enchaîné de ma gloire passée,
J'aurai devant les yeux je ne sais quel amour
Que le hasard nous donne et nous ôte en un jour ?
Soumis à tous leurs vœux, à mes désirs contraire,
Suis-je leur empereur seulement pour leur plaire ?

BURRHUS

Et ne suffit-il pas, Seigneur, à vos souhaits
Que le bonheur public soit un de vos bienfaits ?
C'est à vous à choisir, vous êtes encor maître.
1340 Vertueux jusqu'ici, vous pouvez toujours l'être :
Le chemin est tracé, rien ne vous retient plus ;
Vous n'avez qu'à marcher de vertus en vertus.
Mais si de vos flatteurs vous suivez la maxime,
Il vous faudra, Seigneur, courir de crime en crime,
Soutenir vos rigueurs par d'autres cruautés,
Et laver dans le sang vos bras ensanglantés.
Britannicus mourant excitera le zèle
De ses amis, tout prêts à prendre sa querelle.
Ces vengeurs trouveront de nouveaux défenseurs,
1350 Qui, même après leur mort, auront des successeurs.
Vous allumez un feu qui ne pourra s'éteindre.
Craint de tout l'univers, il vous faudra tout craindre,
Toujours punir, toujours trembler dans vos projets,
Et pour vos ennemis compter tous vos sujets.
Ah ! de vos premiers ans l'heureuse expérience
Vous fait-elle, Seigneur, haïr votre innocence ?
Songez-vous au bonheur qui les a signalés ?
Dans quel repos, ô ciel ! les avez-vous coulés !
Quel plaisir de penser et de dire en vous-même :
1360 « Partout, en ce moment, on me bénit, on m'aime ;
On ne voit point le peuple à mon nom s'alarmer ;
Le ciel dans tous leurs pleurs ne m'entend point
[nommer ;

Face à face, Agrippine et Néron – ici, dans une mise en scène de J. Leuvrais en 1987, S. Monfort et M. Colas. Depuis le XIXe siècle, le "couple de fauves" a ravi la vedette, auprès du spectateur, au "couple tendre," Junie et Britannicus.

A l'époque de Racine, Agrippine et Néron, de l'histoire, sont déjà passés au mythe.

Ci-contre, un buste de Claude.
Ci-dessous, un buste de Néron.
Fils de Domitius Aenobarbus, rien ne l'appelait à l'Empire. Mais Agrippine sut persuader Claude de l'adopter, déshéritant ainsi son propre fils, Britannicus. C'est ce qu'elle rappelle à Néron dans sa longue tirade de l'acte IV, scène 2.

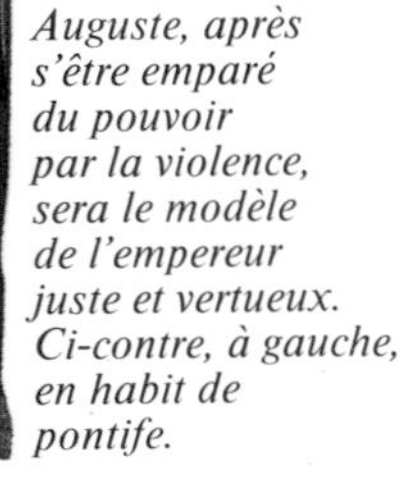

Auguste, après s'être emparé du pouvoir par la violence, sera le modèle de l'empereur juste et vertueux. Ci-contre, à gauche, en habit de pontife.

Les successeurs du grand Auguste ne se feront connaître que par leurs cruautés...

Fille de Germanicus, général célèbre par ses victoires, sur les Germains, la mère de Néron, Agrippine, n'aura durant sa vie qu'une passion : le pouvoir.

MÈRE ET FILS
"Et ne connais-tu pas l'implacable Agrippine ?
Mon amour inquiet déjà se l'imagine..."
(Néron à Narcisse, acte II, scène 2)

... et leur dépravation – Tibère, Caligula, Néron – ou leur faiblesse – Claude.

A gauche, une statue romaine de jeune fille, dite d'"Anzio." Ce pourrait être la "timide Junie." Page de droite, un relief de la fin du Ier siècle ap. J.-C. représentant la déesse Vesta, assise, en compagnie de quatre vestales. Le culte de cette déesse du foyer était confié à un collège de jeunes filles ayant fait vœu de chasteté, les vestales. Néron et son époque ont été un sujet de choix pour le péplum. Ci-dessous, deux photos tirées du film "Les Week-ends de Néron" (Steno, 1959) avec Brigitte Bardot (Poppée).

La mort de Britannicus confirmera à Junie ce qu'elle pressentait dès le début : ...

LE RETRAIT HORS DU MONDE
"Ma fuite arrêtera vos discordes fatales,
Seigneur, j'irai remplir le nombre des vestales..."
(Junie à Néron, acte III, scène 8)

... il n'est qu'une seule manière de vivre
en ce monde, c'est de mourir à lui.

Le Festin fatal, hors scène chez Racine, ici représenté par le graveur François Chauveau (fin du XVIIe siècle).

LA MORT DE BRITANNICUS
“La coupe dans ses mains par Narcisse est remplie,
Mais ses lèvres à peine en ont touché les bords...”
(Récit de Burrhus, acte V, scène 5)

Chez l’historien Tacite aussi, l’empoisonnement de Britannicus apparaît comme...

Ci-dessus, dans la mise en scène de Marcel Delval en 1990, Néron et le machiavélien Narcisse (Lus Van Grunderbeeck et Bernard Valès). Ci-dessous, une fresque pompéienne représentant un banquet.

... la première manifestation de la naissance de Néron à la monstruosité.

Dans une mise en scène d'Alain Françon, en 1992,...

Une mère qui attend le réveil de son fils, pour lui dire ses vérités, et un fils...

... Agrippine, Burrhus, Albine.

... qui a déjà déjoué cette attente en s'éclipsant.
Situation triviale et amorce pour une tragédie.

Après la mort de Tibère, le poids de l'armée, dans la prise et la conservation du pouvoir impérial, est déterminant. Caligula sera assassiné avec la complicité de sa propre garde prétorienne. Sa sœur Agrippine s'en souviendra et n'oubliera pas de s'assurer de l'appui de l'armée pour que Néron puisse succéder à Claude (cf. vers 1183-1194). Ci-dessus et page de droite, costumes pour "Britannicus" par Cherly (XVIIIe siècle)

Après Néron, Rome connaîtra, en moins de deux ans, trois empereurs : Galba, Othon, Vitellius...

NÉRON EMPEREUR
"Je le veux, je l'ordonne ; et que la fin du jour
Ne le retrouve pas dans Rome ou dans ma cour."
(Néron bannissant Pallas, acte II, scène 1)

... tous morts de mort violente. Vespasien, premier de la dynastie des Flaviens, rétablira l'ordre en 69.

C'est au XVIIIe siècle, avec Lekain, que Néron, de tout jeune homme qu'il est chez Racine, devient un homme d'âge mûr. Ci-contre, un Néron "mûr" : Albert Lambert.

Dans la mise en scène de Bernard Pigot, à la Cité universitaire, en 1989, Néron a retrouvé sa jeunesse (ci-dessus, joué par Albert Pigot, avec Marion Laine dans le rôle de Junie). A gauche, l'une des grandes Agrippine du XVIIIe siècle : Mlle Dumesnil. Elle tirait le rôle vers l'emploi de mère tragique.

Alors que Racine insiste sur la jeunesse de Néron, qui n'est dans "Britannicus" qu'un "monstre naissant",...

Un autre Néron dans la tradition de Lekain : le monstre sacré de la tragédie au début du XIXe *siècle, Talma.*

NÉRON FACE À SON DESTIN
"Et ton nom paraîtra dans la race future,
Aux plus cruels tyrans une cruelle injure..."
(Agrippine à Néron, acte V, scène 6)

... bien des comédiens, par la suite, en feront un tyran déjà expérimenté, ce qui change l'éclairage de la pièce.

A la Comédie-Française, en 1952, Renée Faure (Agrippine) et Jean Marais (Néron). Ci-dessous, le décor réalisé par Jean Marais.

L'"INGRAT" NÉRON
"Je me souviens toujours que je vous dois l'Empire,
Et sans vous fatiguer du soin de le redire..."
(Néron à Agrippine, acte IV, scène 2)

Dans son "Britannicus", Racine nous présente les débuts de la "carrière" de Néron,...

Ci-dessus, à gauche, Peter Ustinov en Néron, dans le "Quo Vadis," d'après le roman de Sienkiewickz, de Merryn Le Roy (1951). A droite, en 1961, à la Comédie-Française, Robert Hirsch. Ci-dessous, un "Britannicus" de la Comédie-Française, en 1938.

... mais il joue sur le fait que son public en connaît toute la suite, du matricide au suicide final.

Néron contemple et admire le corps de sa mère, qu'il vient de faire assassiner. Tacite n'est pas sûr de la véracité de l'anecdote. Elle est mise en scène ici dans un péplum d'Antonio Rizzi, "Néron et Agrippine".

CRÉDITS PHOTOGRAPHIQUES

P. 1 : Enguerand. Pp. 2-3 : Dagli Orti. P. 4 : Dagli Orti ; Prod/DB. P. 5 : Relief des Vestales, époque flavienne, Rome/Dagli Orti. P. 6 : J.-L. Charmet. P. 7 : Enguerand ; Scène de banquet provenant de Pompéi, Naples/Dagli Orti. Pp. 8-9 : Enguerand. Pp. 10-11 : J.-L. Charmet. P. 12 : Dagli Orti ; C. Pfhol ; J.-L. Charmet. P. 13 : J.-L. Charmet. P. 14 : Lipnitzki-Viollet ; J.-L. Charmet. P. 15 : Prod/DB ; Lipnitzki-Viollet. P. 16. "Néron et Agrippine" par A. Rizzi, Cremone/Dagli Orti. 4e de couverture : Enguerand.

Leur sombre inimitié ne fuit point mon visage ;
Je vois voler partout les cœurs à mon passage ! »
Tels étaient vos plaisirs. Quel changement, ô dieux !
Le sang le plus abject vous était précieux.
Un jour, il m'en souvient, le sénat équitable
Vous pressait de souscrire à la mort d'un coupable ;
Vous résistiez, Seigneur, à leur sévérité ;
1370 Votre cœur s'accusait de trop de cruauté,
Et plaignant les malheurs attachés à l'empire :
« Je voudrais, disiez-vous, ne savoir pas écrire. »
Non, ou vous me croirez, ou bien de ce malheur
Ma mort m'épargnera la vue et la douleur :
On ne me verra point survivre à votre gloire ;
Si vous allez commettre une action si noire,
(Il se jette à genoux.)
Me voilà prêt, Seigneur : avant que de partir,
Faites percer ce cœur qui n'y peut consentir ;
Appelez les cruels qui vous l'ont inspirée,
1380 Qu'ils viennent essayer leur main mal assurée...
Mais je vois que mes pleurs touchent mon empereur,
Je vois que sa vertu frémit de leur fureur.
Ne perdez point de temps, nommez-moi les perfides
Qui vous osent donner ces conseils parricides ;
Appelez votre frère, oubliez dans ses bras...

NÉRON

Ah ! que demandez-vous ?

BURRHUS

Non, il ne vous hait pas,
Seigneur ; on le trahit : je sais son innocence ;
Je vous réponds pour lui de son obéissance.
J'y cours. Je vais presser un entretien si doux.

NÉRON

1390 Dans mon appartement qu'il m'attende avec vous.

SCÈNE 4

Néron, Narcisse.

NARCISSE

Seigneur, j'ai tout prévu pour une mort si juste.
Le poison est tout prêt. La fameuse Locuste
A redoublé pour moi ses soins officieux :
Elle a fait expirer un esclave à mes yeux ;
Et le fer est moins prompt pour trancher une vie
Que le nouveau poison que sa main me confie.

NÉRON

Narcisse, c'est assez ; je reconnais ce soin,
Et ne souhaite pas que vous alliez plus loin.

NARCISSE

Quoi ? pour Britannicus votre haine affaiblie
1400 Me défend...

NÉRON

Oui, Narcisse : on nous réconcilie.

NARCISSE

Je me garderai bien de vous en détourner,
Seigneur. Mais il s'est vu tantôt emprisonner :
Cette offense en son cœur sera longtemps nouvelle.
Il n'est point de secrets que le temps ne révèle :
Il saura que ma main lui devait présenter
Un poison que votre ordre avait fait apprêter.
Les dieux de ce dessein puissent-ils le distraire !
Mais peut-être il fera ce que vous n'osez faire.

NÉRON

On répond de son cœur, et je vaincrai le mien.

NARCISSE

1410 Et l'hymen de Junie en est-il le lien ?
Seigneur, lui faites-vous encor ce sacrifice ?

NÉRON

C'est prendre trop de soin. Quoi qu'il en soit, Narcisse,
Je ne le compte plus parmi mes ennemis.

NARCISSE

Agrippine, Seigneur, se l'était bien promis :
Elle a repris sur vous son souverain empire.

NÉRON

Quoi donc ? Qu'a-t-elle dit ? Et que voulez-vous dire ?

NARCISSE

Elle s'en est vantée assez publiquement.

NÉRON

De quoi ?

NARCISSE

Qu'elle n'avait qu'à vous voir un moment,
Qu'à tout ce grand éclat, à ce courroux funeste,
1420 On verrait succéder un silence modeste ;
Que vous-même à la paix souscririez le premier,
Heureux que sa bonté daignât tout oublier.

NÉRON

Mais, Narcisse, dis-moi, que veux-tu que je fasse ?
Je n'ai que trop de pente à punir son audace,
Et si je m'en croyais, ce triomphe indiscret
Serait bientôt suivi d'un éternel regret.
Mais de tout l'univers quel sera le langage ?
Sur les pas des tyrans veux-tu que je m'engage,
Et que Rome, effaçant tant de titres d'honneur,
1430 Me laisse pour tous noms celui d'empoisonneur ?
Ils mettront ma vengeance au rang des parricides.

NARCISSE

Et prenez-vous, Seigneur, leurs caprices pour guides ?
Avez-vous prétendu qu'ils se tairaient toujours ?
Est-ce à vous de prêter l'oreille à leurs discours ?
De vos propres désirs perdrez-vous la mémoire ?
Et serez-vous le seul que vous n'oserez croire ?
Mais, Seigneur, les Romains ne vous sont pas connus.
Non, non, dans leurs discours ils sont plus retenus.
Tant de précaution affaiblit votre règne :
1440 Ils croiront, en effet, mériter qu'on les craigne.
Au joug, depuis longtemps, ils se sont façonnés :
Ils adorent la main qui les tient enchaînés.
Vous les verrez toujours ardents à vous complaire.
Leur prompte servitude a fatigué Tibère.
Moi-même, revêtu d'un pouvoir emprunté,
Que je reçus de Claude avec la liberté,
J'ai cent fois, dans le cours de ma gloire passée,
Tenté leur patience, et ne l'ai point lassée.
D'un empoisonnement vous craignez la noirceur ?
1450 Faites périr le frère, abandonnez la sœur ;
Rome, sur ses autels prodiguant les victimes,
Fussent-ils innocents, leur trouvera des crimes ;
Vous verrez mettre au rang des jours infortunés
Ceux où jadis la sœur et le frère sont nés.

NÉRON

Narcisse, encore un coup, je ne puis l'entreprendre.
J'ai promis à Burrhus, il a fallu me rendre.
Je ne veux point encore, en lui manquant de foi,
Donner à sa vertu des armes contre moi.
J'oppose à ses raisons un courage inutile :
1460 Je ne l'écoute point avec un cœur tranquille.

NARCISSE

Burrhus ne pense pas, Seigneur, tout ce qu'il dit :
Son adroite vertu ménage son crédit.
Ou plutôt ils n'ont tous qu'une même pensée :
Ils verraient par ce coup leur puissance abaissée ;

Vous seriez libre alors, Seigneur ; et devant vous,
Ces maîtres orgueilleux fléchiraient comme nous.
Quoi donc ? ignorez-vous tout ce qu'ils osent dire ?
« Néron, s'ils en sont crus, n'est point né pour
[l'empire ;
Il ne dit, il ne fait que ce qu'on lui prescrit :
1470 Burrhus conduit son cœur, Sénèque son esprit.
Pour toute ambition, pour vertu singulière,
Il excelle à conduire un char dans la carrière,
À disputer des prix indignes de ses mains,
À se donner lui-même en spectacle aux Romains,
À venir prodiguer sa voix sur un théâtre,
À réciter des chants qu'il veut qu'on idolâtre,
Tandis que des soldats, de moments en moments,
Vont arracher pour lui les applaudissements. »
Ah ! ne voulez-vous pas les forcer à se taire ?

NÉRON

1480 Viens, Narcisse : allons voir ce que nous devons faire.

ACTE V

SCÈNE 1

Britannicus, Junie.

BRITANNICUS

Oui, Madame, Néron (qui l'aurait pu penser ?)
Dans son appartement m'attend pour m'embrasser.
Il y fait de sa cour inviter la jeunesse :
Il veut que d'un festin la pompe et l'allégresse
Confirment à leurs yeux la foi de nos serments,
Et réchauffent l'ardeur de nos embrassements.
Il éteint cet amour, source de tant de haine,
Il vous fait de mon sort arbitre souveraine.
Pour moi, quoique banni du rang de mes aïeux,
1490 Quoique de leur dépouille il se pare à mes yeux,
Depuis qu'à mon amour cessant d'être contraire
Il semble me céder la gloire de vous plaire,
Mon cœur, je l'avouerai, lui pardonne en secret,
Et lui laisse le reste avec moins de regret.
Quoi ! je ne serai plus séparé de vos charmes ?
Quoi ! même en ce moment, je puis voir sans alarmes
Ces yeux que n'ont émus ni soupirs ni terreur,
Qui m'ont sacrifié l'empire et l'empereur !
Ah ! Madame... Mais quoi ? Quelle nouvelle crainte
1500 Tient parmi mes transports votre joie en contrainte ?
D'où vient qu'en m'écoutant, vos yeux, vos tristes yeux,
Avec de longs regards se tournent vers les cieux ?
Qu'est-ce que vous craignez ?

JUNIE

Je l'ignore moi-même ;
Mais je crains.

BRITANNICUS

Vous m'aimez ?

JUNIE

Hélas ! si je vous aime ?

BRITANNICUS

Néron ne trouble plus notre félicité.

JUNIE

Mais me répondez-vous de sa sincérité ?

BRITANNICUS

Quoi ? vous le soupçonnez d'une haine couverte ?

JUNIE

Néron m'aimait tantôt, il jurait votre perte ;
Il me fuit, il vous cherche : un si grand changement
1510 Peut-il être, Seigneur, l'ouvrage d'un moment ?

BRITANNICUS

Cet ouvrage, Madame, est un coup d'Agrippine :
Elle a cru que ma perte entraînait sa ruine.
Grâce aux préventions de son esprit jaloux,
Nos plus grands ennemis ont combattu pour nous.
Je m'en fie aux transports qu'elle m'a fait paraître ;
Je m'en fie à Burrhus ; j'en crois même son maître :
Je crois qu'à mon exemple impuissant à trahir,
Il hait à cœur ouvert, ou cesse de haïr.

JUNIE

Seigneur, ne jugez pas de son cœur par le vôtre :
1520 Sur des pas différents vous marchez l'un et l'autre.
Je ne connais Néron et la cour que d'un jour,

Mais, si j'ose le dire, hélas ! dans cette cour
Combien tout ce qu'on dit est loin de ce qu'on pense !
Que la bouche et le cœur sont peu d'intelligence !
Avec combien de joie on y trahit sa foi !
Quel séjour étranger et pour vous et pour moi !

BRITANNICUS

Mais que son amitié soit véritable ou feinte,
Si vous craignez Néron, lui-même est-il sans crainte ?
Non, non, il n'ira point, par un lâche attentat,
1530 Soulever contre lui le peuple et le sénat.
Que dis-je ? Il reconnaît sa dernière injustice.
Ses remords ont paru même aux yeux de Narcisse.
Ah ! s'il vous avait dit, ma Princesse, à quel point...

JUNIE

Mais Narcisse, Seigneur, ne vous trahit-il point ?

BRITANNICUS

Et pourquoi voulez-vous que mon cœur s'en défie ?

JUNIE

Et que sais-je ? Il y va, Seigneur, de votre vie.
Tout m'est suspect : je crains que tout ne soit séduit.
Je crains Néron, je crains le malheur qui me suit.
D'un noir pressentiment malgré moi prévenue,
1540 Je vous laisse à regret éloigner de ma vue.
Hélas ! si cette paix dont vous vous repaissez
Couvrait contre vos jours quelques pièges dressés !
Si Néron, irrité de notre intelligence,
Avait choisi la nuit pour cacher sa vengeance !
S'il préparait ses coups tandis que je vous vois !
Et si je vous parlais pour la dernière fois !
Ah ! Prince !

BRITANNICUS

Vous pleurez ! Ah ! ma chère Princesse !
Et pour moi jusque-là votre cœur s'intéresse ?
Quoi, Madame ? en un jour où plein de sa grandeur

1550 Néron croit éblouir vos yeux de sa splendeur,
Dans des lieux où chacun me fuit et le révère,
Aux pompes de sa cour préférer ma misère ?
Quoi ? dans ce même jour et dans ces mêmes lieux,
Refuser un empire et pleurer à mes yeux ?
Mais, Madame, arrêtez ces précieuses larmes :
Mon retour va bientôt dissiper vos alarmes.
Je me rendrais suspect par un plus long séjour.
Adieu. Je vais, le cœur tout plein de mon amour,
Au milieu des transports d'une aveugle jeunesse,
1560 Ne voir, n'entretenir que ma belle princesse.
Adieu.

JUNIE

Prince...

BRITANNICUS

On m'attend, Madame, il faut partir.

JUNIE

Mais du moins attendez qu'on vous vienne avertir.

SCÈNE 2

Agrippine, Britannicus, Junie.

AGRIPPINE

Prince, que tardez-vous ? Partez en diligence :
Néron impatient se plaint de votre absence.
La joie, et le plaisir, de tous les conviés
Attend pour éclater que vous vous embrassiez.
Ne faites point languir une si juste envie ;
Allez. Et nous, Madame, allons chez Octavie.

BRITANNICUS

Allez, belle Junie, et d'un esprit content,
1570 Hâtez-vous d'embrasser ma sœur qui vous attend.

Dès que je le pourrai, je reviens sur vos traces,
Madame, et de vos soins j'irai vous rendre grâces.

SCÈNE 3

Agrippine, Junie.

AGRIPPINE

Madame, ou je me trompe, ou durant vos adieux,
Quelques pleurs répandus ont obscurci vos yeux.
Puis-je savoir quel trouble a formé ce nuage ?
Doutez-vous d'une paix dont je fais mon ouvrage ?

JUNIE

Après tous les ennuis que ce jour m'a coûtés,
Ai-je pu rassurer mes esprits agités ?
Hélas ! à peine encor je conçois ce miracle.
1580 Quand même à vos bontés, je craindrais quelque [obstacle,
Le changement, Madame, est commun à la cour,
Et toujours quelque crainte accompagne l'amour.

AGRIPPINE

Il suffit. J'ai parlé, tout a changé de face.
Mes soins à vos soupçons ne laissent point de place.
Je réponds d'une paix jurée entre mes mains,
Néron m'en a donné des gages trop certains.
Ah ! si vous aviez vu par combien de caresses
Il m'a renouvelé la foi de ses promesses !
Par quels embrassements il vient de m'arrêter !
1590 Ses bras, dans nos adieux, ne pouvaient me quitter.
Sa facile bonté, sur son front répandue,
Jusqu'aux moindres secrets est d'abord descendue :
Il s'épanchait en fils qui vient en liberté
Dans le sein de sa mère oublier sa fierté,
Mais bientôt, reprenant un visage sévère,

Tel que d'un empereur qui consulte sa mère,
Sa confidence auguste a mis entre mes mains
Des secrets d'où dépend le destin des humains.
Non, il le faut ici confesser à sa gloire,
1600 Son cœur n'enferme point une malice noire,
Et nos seuls ennemis, altérant sa bonté,
Abusaient contre nous de sa facilité.
Mais enfin, à son tour, leur puissance décline ;
Rome encore une fois va connaître Agrippine ;
Déjà de ma faveur on adore le bruit.
Cependant en ces lieux n'attendons pas la nuit :
Passons chez Octavie, et donnons-lui le reste
D'un jour autant heureux que je l'ai cru funeste.
Mais qu'est-ce que j'entends ? Quel tumulte confus ?
1610 Que peut-on faire ?

JUNIE

Ô ciel ! sauvez Britannicus !

SCÈNE 4

Agrippine, Junie, Burrhus.

AGRIPPINE

Burrhus, où courez-vous ? Arrêtez. Que veut dire...

BURRHUS

Madame, c'en est fait, Britannicus expire.

JUNIE

Ah ! mon Prince !

AGRIPPINE

Il expire ?

BURRHUS

Ou plutôt il est mort,
Madame.

JUNIE

Pardonnez, Madame, à ce transport.
Je vais le secourir, si je puis, ou le suivre.

SCÈNE 5

Agrippine, Burrhus.

AGRIPPINE

Quel attentat, Burrhus !

BURRHUS

Je n'y pourrai survivre,
Madame : il faut quitter la cour et l'empereur.

AGRIPPINE

Quoi ? du sang de son frère il n'a point eu d'horreur ?

BURRHUS

Ce dessein s'est conduit avec plus de mystère.
1620 À peine l'empereur a vu venir son frère,
Il se lève, il l'embrasse, on se tait, et soudain
César prend le premier une coupe à la main :
« Pour achever ce jour sous de meilleurs auspices,
Ma main de cette coupe épanche les prémices,
Dit-il ; dieux, que j'appelle à cette effusion,
Venez favoriser notre réunion. »
Par les mêmes serments Britannicus se lie.
La coupe dans ses mains par Narcisse est remplie,
Mais ses lèvres à peine en ont touché les bords...
1630 Le fer ne produit point de si puissants efforts,

Madame : la lumière à ses yeux est ravie,
Il tombe sur son lit sans chaleur et sans vie.
Jugez combien ce coup frappe tous les esprits :
La moitié s'épouvante et sort avec des cris,
Mais ceux qui de la cour ont un plus long usage
Sur les yeux de César composent leur visage.
Cependant sur son lit il demeure penché ;
D'aucun étonnement il ne paraît touché :
« Ce mal[1], dont vous craignez, dit-il, la violence
1640 A souvent, sans péril, attaqué son enfance. »
Narcisse veut en vain affecter quelque ennui,
Et sa perfide joie éclate malgré lui.
Pour moi, dût l'empereur punir ma hardiesse,
D'une odieuse cour j'ai traversé la presse,
Et j'allais, accablé de cet assassinat,
Pleurer Britannicus, César et tout l'État.

AGRIPPINE

Le voici. Vous verrez si c'est moi qui l'inspire.

SCÈNE 6

Néron, Agrippine, Burrhus, Narcisse

NÉRON, *voyant Agrippine.*

Dieux !

AGRIPPINE

Arrêtez, Néron : j'ai deux mots à vous dire.
Britannicus est mort, je reconnais les coups,
1650 Je connais l'assassin.

1. D'après Tacite, Britannicus était épileptique.

NÉRON

Et qui, Madame ?

AGRIPPINE

Vous.

NÉRON

Moi ! Voilà les soupçons dont vous êtes capable.
Il n'est point de malheur dont je ne sois coupable,
Et si l'on veut, Madame, écouter vos discours,
Ma main de Claude même aura tranché les jours.
Son fils vous était cher ; sa mort peut vous confondre,
Mais des coups du destin je ne puis pas répondre.

AGRIPPINE

Non, non, Britannicus est mort empoisonné :
Narcisse a fait le coup, vous l'avez ordonné.

NÉRON

Madame !... Mais qui peut vous tenir ce langage ?

NARCISSE

1660 Hé ! Seigneur, ce soupçon vous fait-il tant d'outrage ?
Britannicus, Madame, eut des desseins secrets
Qui vous auraient coûté de plus justes regrets.
Il aspirait plus loin qu'à l'hymen de Junie ;
De vos propres bontés il vous aurait punie.
Il vous trompait vous-même, et son cœur offensé
Prétendait tôt ou tard rappeler le passé.
Soit donc que malgré vous le sort vous ait servie,
Soit qu'instruit des complots qui menaçaient sa vie,
Sur ma fidélité César s'en soit remis,
1670 Laissez les pleurs, Madame, à vos seuls ennemis ;
Qu'ils mettent ce malheur au rang des plus sinistres.
Mais vous...

AGRIPPINE

Poursuis, Néron ; avec de tels ministres,

Par des faits glorieux tu te vas signaler.
Poursuis. Tu n'as pas fait ce pas pour reculer.
Ta main a commencé par le sang de ton frère ;
Je prévois que tes coups viendront jusqu'à ta mère.
Dans le fond de ton cœur, je sais que tu me hais ;
Tu voudras t'affranchir du joug de mes bienfaits.
Mais je veux que ma mort te soit même inutile ;
1680 Ne crois pas qu'en mourant je te laisse tranquille.
Rome, ce ciel, ce jour que tu reçus de moi,
Partout, à tout moment, m'offriront devant toi.
Tes remords te suivront comme autant de furies,
Tu croiras les calmer par d'autres barbaries :
Ta fureur, s'irritant soi-même dans son cours,
D'un sang toujours nouveau marquera tous tes jours.
Mais j'espère qu'enfin le ciel, las de tes crimes,
Ajoutera ta perte à tant d'autres victimes,
Qu'après t'être couvert de leur sang et du mien,
1690 Tu te verras forcé de répandre le tien,
Et ton nom paraîtra dans la race future,
Aux plus cruels tyrans une cruelle injure.
Voilà ce que mon cœur se présage de toi.
Adieu. Tu peux sortir.

NÉRON

Narcisse, suivez-moi.

SCÈNE 7

Agrippine, Burrhus.

AGRIPPINE

Ah ciel ! de mes soupçons quelle était l'injustice !
Je condamnais Burrhus pour écouter Narcisse.
Burrhus, avez-vous vu quels regards furieux
Néron en me quittant m'a laissés pour adieux ?
C'en est fait, le cruel n'a plus rien qui l'arrête :

1700 Le coup qu'on m'a prédit va tomber sur ma tête.
Il vous accablera vous-même à votre tour.

BURRHUS

Ah ! Madame, pour moi j'ai vécu trop d'un jour.
Plût au ciel que sa main, heureusement cruelle,
Eût fait sur moi l'essai de sa fureur nouvelle !
Qu'il ne m'eût pas donné, par ce triste attentat,
Un gage trop certain des malheurs de l'État !
Son crime seul n'est pas ce qui me désespère ;
Sa jalousie a pu l'armer contre son frère ;
Mais s'il vous faut, Madame, expliquer ma douleur :
1710 Néron l'a vu mourir sans changer de couleur.
Ses yeux indifférents ont déjà la constance
D'un tyran dans le crime endurci dès l'enfance.
Qu'il achève, Madame, et qu'il fasse périr
Un ministre importun qui ne le peut souffrir.
Hélas ! loin de vouloir éviter sa colère,
La plus soudaine mort me sera la plus chère.

SCÈNE 8

Agrippine, Burrhus, Albine.

ALBINE

Ah ! Madame ! ah ! Seigneur ! courez vers l'empereur,
Venez sauver César de sa propre fureur :
Il se voit pour jamais séparé de Junie.

AGRIPPINE

1720 Quoi ? Junie elle-même a terminé sa vie ?

ALBINE

Pour accabler César d'un éternel ennui,
Madame, sans mourir elle est morte pour lui.
Vous savez de ces lieux comme elle s'est ravie :

Elle a feint de passer chez la triste Octavie ;
Mais bientôt elle a pris des chemins écartés,
Où mes yeux ont suivi ses pas précipités.
Des portes du palais elle sort éperdue.
D'abord elle a d'Auguste aperçu la statue,
Et mouillant de ses pleurs le marbre de ses pieds,
1730 Que de ses bras pressants elle tenait liés :
« Prince, par ces genoux, dit-elle, que j'embrasse,
Protège en ce moment le reste de ta race.
Rome, dans ton palais, vient de voir immoler
Le seul de tes neveux qui te pût ressembler.
On veut après sa mort que je lui sois parjure ;
Mais pour lui conserver une foi toujours pure,
Prince, je me dévoue à ces dieux immortels
Dont ta vertu t'a fait partager les autels [1]. »
Le peuple cependant, que ce spectacle étonne,
1740 Vole de toutes parts, se presse, l'environne,
S'attendrit à ses pleurs, et plaignant son ennui,
D'une commune voix la prend sous son appui.
Ils la mènent au temple, où depuis tant d'années
Au culte des autels nos vierges destinées
Gardent fidèlement le dépôt précieux
Du feu toujours ardent qui brûle pour nos dieux.
César les voit partir sans oser les distraire.
Narcisse, plus hardi, s'empresse pour lui plaire :
Il vole vers Junie, et sans s'épouvanter,
1750 D'une profane main commence à l'arrêter,
De mille coups mortels, son audace est punie ;
Son infidèle sang rejaillit sur Junie.
César, de tant d'objets en même temps frappé,
Le laisse entre les mains qui l'ont enveloppé.
Il rentre. Chacun fuit son silence farouche.
Le seul nom de Junie échappe de sa bouche.
Il marche sans dessein, ses yeux mal assurés
N'osent lever au ciel leurs regards égarés,
Et l'on craint, si la nuit jointe à la solitude

1. Auguste avait été divinisé après sa mort.

1760 Vient de son désespoir aigrir l'inquiétude,
Si vous l'abandonnez plus longtemps sans secours,
Que sa douleur bientôt n'attente sur ses jours.
Le temps presse : courez. Il ne faut qu'un caprice :
Il se perdrait, Madame.

AGRIPPINE

Il se ferait justice.
Mais, Burrhus, allons voir jusqu'où vont ses
[transports.
Voyons quel changement produiront ses remords,
S'il voudra désormais suivre d'autres maximes.

BURRHUS

Plût aux dieux que ce fût le dernier de ses crimes !

VARIANTES

Avant de la supprimer, Racine avait prévu une scène au début de l'acte III, où s'affrontaient Burrhus et Narcisse. Dans sa mise en scène de 1977-1978 à la Comédie-Française, Jean-Pierre Miquel réintégra cette scène. Choix discutable (cf. scénographie). Ci-après le texte de cette scène :

III, 1

BURRHUS

Quoi ? Narcisse au palais obsédant l'empereur
Laisse Britannicus en proie à sa fureur,
Narcisse, qui devrait d'une amitié sincère
Sacrifier au fils tout ce qu'il tient du père ;
Qui devrait, en plaignant avec lui son malheur,
Loin des yeux de César détourner sa douleur ?
Voulez-vous qu'accablé d'horreur, d'inquiétude,
Pressé du désespoir qui suit la solitude,
Il avance sa perte en voulant l'éloigner,
Et force l'empereur à ne plus l'épargner ?
Lorsque de Claudius l'impuissante vieillesse
Laissa de tout l'empire Agrippine maîtresse,
Qu'instruit du successeur que lui gardaient les dieux,
Il vit déjà son nom écrit dans tous les yeux ;
Ce prince, à ses bienfaits mesurant votre zèle,
Crut laisser à son fils un gouverneur fidèle,
Et qui sans s'ébranler verrait passer un jour
Du côté de Néron la fortune et la cour.
Cependant aujourd'hui, sur la moindre menace
Qui de Britannicus présage la disgrâce,

Narcisse, qui devait le quitter le dernier,
Semble dans le malheur le plonger le premier.
César vous voit partout attendre son passage.

NARCISSE

Avec tout l'univers je viens lui rendre hommage,
Seigneur : c'est le dessein qui m'amène en ces lieux.

BURRHUS

Près de Britannicus vous le servirez mieux.
Craignez-vous que César n'accuse votre absence ?
Sa grandeur lui répond de votre obéissance.
C'est à Britannicus qu'il faut justifier
Un soin dont ses malheurs se doivent défier.
Vous pouvez sans péril respecter sa misère :
Néron n'a point juré la perte de son frère.
Quelque froideur qui semble altérer leurs esprits,
Votre maître n'est point au nombre des proscrits.
Néron même en son cœur touché de votre zèle
Vous en tiendrait peut-être un compte plus fidèle
Que de tous ces respects vainement assidus,
Oubliés dans la foule aussitôt que rendus.

NARCISSE

Ce langage, Seigneur, est facile à comprendre ;
Avec quelque bonté César daigne m'entendre :
Mes soins trop bien reçus pourraient vous irriter...
À l'avenir, Seigneur, je saurai l'éviter.

BURRHUS

Narcisse, vous réglez mes desseins sur les vôtres :
Ce que vous avez fait, vous l'imputez aux autres.
Ainsi lorsqu'inutile au reste des humains,
Claude laissait gémir l'empire entre vos mains,
Le reproche éternel de votre conscience
Condamnait devant lui Rome entière au silence.
Vous lui laissiez à peine écouter vos flatteurs,
Le reste vous semblait autant d'accusateurs
Qui prêts à s'élever contre votre conduite,

Allaient de nos malheurs développer la suite,
Et lui portant les cris du peuple et du Sénat,
Lui demander justice au nom de tout l'État.
Toutefois pour César je crains votre présence :
Je crains, puisqu'il vous faut parler sans complaisance,
Tous ceux qui comme vous flattant tous ses désirs,
Sont toujours dans son cœur du parti des plaisirs.
Jadis à nos conseils l'Empereur plus docile
Affectait pour son frère une bonté facile,
Et de son rang pour lui modérant la splendeur,
De sa chute à ses yeux cachait la profondeur.
Quel soupçon aujourd'hui, quel désir de vengeance
Rompt du sang des Césars l'heureuse intelligence ?
Junie est enlevée, Agrippine frémit ;
Jaloux et sans espoir Britannicus gémit :
Du cœur de l'empereur son épouse bannie,
D'un divorce à toute heure attend l'ignominie.
Elle pleure ; et voilà ce que leur a coûté
L'entretien d'un flatteur qui veut être écouté.

NARCISSE

Seigneur, c'est un peu loin pousser la violence ;
Vous pouvez tout ; j'écoute et garde le silence.
Mes actions un jour pourront vous repartir :
Jusque-là...

BURRHUS

Puissiez-vous bientôt me démentir !
Plût aux dieux qu'en effet ce reproche vous touche !
Je vous aiderai même à me fermer la bouche.
Sénèque, dont les soins devraient me soulager,
Occupé loin de Rome, ignore ce danger.
Réparons, vous et moi, cette absence funeste :
Du sang de nos Césars réunissons le reste.
Rapprochons-les, Narcisse, au plus tôt, dès ce jour,
Tandis qu'ils ne sont point séparés sans retour.

Après le vers 1534 (V, 1) où Junie exprime sa méfiance vis-à-vis de Narcisse, l'édition de 1670 intercale cette réponse de Britannicus, où se confirme, une fois de plus, son incroyable naïveté :

BRITANNICUS

Lui, me trahir ? Hé quoi, vous voulez donc, Madame,
Qu'à d'éternels soupçons j'abandonne mon âme ?
Seul de tous mes amis Narcisse m'est resté.
L'a-t-on vu de mon Père oublier la bonté ?
S'est-il rendu, Madame, indigne de la mienne ?
Néron de temps en temps souffre qu'il l'entretienne,
Je le sais. Mais il peut, sans violer sa foi,
Tenir lieu d'interprète entre Néron et moi.

*Dans sa préface de 1670, Racine se défend contre ceux qui lui reprochent d'avoir fait revenir Junie sur le théâtre après la mort de Britannicus (dans une courte scène précédant l'actuelle scène 6 du dernier acte). Défense habile, où il va chercher la caution de l'*Antigone *de Sophocle. Mais cette scène, où, une dernière fois, elle se refuse à Néron, sera supprimée dans la version définitive. Ci-après le texte de 1670 :*

NÉRON, *à Junie.*

De vos pleurs j'approuve la justice.
Mais, Madame, évitez ce spectacle odieux,
Moi-même en frémissant j'en détourne les yeux.
Il est mort. Tôt ou tard il faut qu'on vous l'avoue,
Ainsi de nos desseins la Fortune se joue ;
Quand nous nous rapprochons, le Ciel nous désunit.

JUNIE

J'aimais Britannicus, Seigneur, je vous l'ai dit.
Si de quelque pitié ma misère est suivie,
Qu'on me laisse chercher dans le sein d'Octavie
Un entretien conforme à l'état où je suis.

NÉRON

Belle Junie, allez, moi-même je vous suis.
Je vais par tous les soins que la tendresse inspire,
Vous...

SCÈNE 7

AGRIPPINE

Arrêtez, Néron, j'ai deux mots à vous dire...

DOSSIER HISTORIQUE ET LITTÉRAIRE

REPÈRES HISTORIQUES ET BIOGRAPHIQUES

VIE DE RACINE

1633 Galilée, plutôt que d'être brûlé par l'Inquisition, préfère abjurer ses « erreurs et hérésies ». Jean Du Vergier de Hauranne, abbé de Saint-Cyran, ami de Jansénius depuis plus de trente ans, devient directeur de conscience de l'abbaye cistercienne de Port-Royal, réformée par la mère Angélique.

1637 L'avocat Antoine Le Maître, dont Saint-Cyran est le directeur de conscience, choisit de se retirer du « monde » à Port-Royal. Il est le premier de ceux qu'on appellera les Solitaires de Port-Royal, des laïques, issus pour la plupart de la grande bourgeoisie intellectuelle et parlementaire, et qui ont décidé de vivre une vie vraiment chrétienne, refusant les facilités d'une vie rythmée par le péché puis son absolution par des prêtres complaisants (cf. les virulences de Pascal contre les jésuites dans ses *Provinciales*). Le plus célèbre de ces solitaires sera un autre avocat, Antoine Arnauld, dit le Grand Arnauld, qui aura une part décisive dans la controverse janséniste.

1638 Naissance du futur Louis XIV. Mort de Jansénius.

1639 Naissance de Jean Racine, à La Ferté-Milon (Aisne), dans une famille de petits fonctionnaires, liée à Port-Royal.

1640 Publication posthume de l'*Augustinus* de Jansénius qui sera au cœur des conflits théologiques à venir.

1641 Mort de la mère de Racine.

1642 Mort de Richelieu. Agnès Racine, tante de Jean, entre à Port-Royal (elle en deviendra plus tard l'abbesse).

1643 Mort de Louis XIII. Mort du père de Racine. Orphelin, sans la moindre fortune, Jean Racine est recueilli par ses grands-parents maternels. Louis XIV a cinq ans. Régence d'Anne d'Autriche. Mazarin est Premier ministre. Fondation des Petites Écoles de Port-Royal.

1649 Racine est admis aux Petites Écoles. Mort de son grand-père. Sa grand-mère rejoint Port-Royal. Cinq propositions de l'*Augustinus* sont condamnées par la Sorbonne (condamnation confirmée par les papes Innocent X en 1653 et Alexandre VII en 1656).

1653 Racine au collège de la ville de Beauvais, qui a des sympathies pour Port-Royal.

1655 Retour à Port-Royal. Il continue ses études avec ces maîtres prestigieux que sont Arnauld, Hamon, Le Maître, Lancelot, Nicole. Il se perfectionne en grec. Il sera capable de lire le théâtre d'Euripide et la *Poétique* d'Aristote dans le texte, ce qui était rare à l'époque, l'enseignement étant fait en latin et centré sur la littérature latine (cf. le théâtre de Corneille, élève, lui, des jésuites).

1658 Collège d'Harcourt à Paris (classe de philosophie). Racine a dix-huit ans et manifeste de plus en plus son indépendance vis-à-vis de ses anciens maîtres et son goût pour la littérature profane.

1660 Mariage de Louis XIV avec Marie-Thérèse. Ode de Racine, *La Nymphe de la Seine*, à la reine. Sa tragédie *Amasie* est refusée par le théâtre du Marais.

1661 Part à Uzès, où il espère obtenir un bénéfice ecclésiastique par l'entremise d'un oncle, vicaire général. Il n'obtiendra rien. Mort de Mazarin. Début du règne personnel de Louis XIV.

1663 Retour à Paris. Se fait remarquer par une *Ode sur la convalescence du Roi.*

1664 Première de *La Thébaïde*, par la troupe de Molière. L'archevêque de Paris disperse les religieuses de Port-Royal dans d'autres monastères.

1665 Première d'*Alexandre.* Racine rompt avec Molière.

1666 Polémique de Racine avec Nicole à propos du théâtre et rupture avec Port-Royal.

1667 Première d'*Andromaque* chez la reine, avec la Du Parc qui a quitté la troupe de Molière.

1668 Première des *Plaideurs*. Mort de la Du Parc (Racine sera accusé plus tard de l'avoir empoisonnée, lors de l'affaire des Poisons).

1669 Première de *Britannicus*. « Paix de l'Église » entre la papauté et les jansénistes, qui durera une dizaine d'années.

1670 Première de *Bérénice*. Publication partielle des *Pensées* de Pascal.

1672 Première de *Bajazet*.

1673 Racine entre à l'Académie française. *Mithridate*.

1674 Première d'*Iphigénie*. Racine obtient la charge de trésorier de France à Moulins.

1677 Création, le 1er janvier, de *Phèdre et Hippolyte* qui sera édité le 15 mars sous le titre de *Phèdre*. Racine se marie. Il devient avec Boileau historiographe du roi. Il renonce au théâtre. À propos de ce renoncement on s'est posé beaucoup de fausses questions. La réponse est simple : un historiographe du roi doit être un honnête homme, ce que n'est évidemment pas un homme de théâtre... De même, le Racine époux de Catherine de Romanet (puis père de sept enfants) doit faire oublier l'amant de la Du Parc, de la Champmeslé... *Phèdre* est le sommet de l'« œuvre » de Jean Racine, la charge d'historiographe du Roi-Soleil est l'apothéose de sa « carrière ».

1679 Racine renoue avec Port-Royal, au moment où les persécutions reprennent. Le Grand Arnauld s'exile.

1684 *Éloge historique du Roi*.

1685 *Éloge de Pierre Corneille* à l'Académie française. Révocation de l'édit de Nantes. Promulgation du Code noir.

1689 *Esther* créée devant le roi à Saint-Cyr (musique des chœurs par J.-B. Moreau). C'est à la demande de Mme de Maintenon que Racine est revenu au théâtre, un théâtre d'inspiration biblique.

1690 Racine devient gentilhomme ordinaire du roi.

1691 *Athalie* (musique des chœurs par J.-B. Moreau).

1694 *Cantiques spirituels*. Racine intervient auprès de l'archevêque de Paris en faveur de Port-Royal et ne cessera de le faire jusqu'à sa mort.

1696 Devient conseiller secrétaire du roi. Commence à travailler à un *Abrégé de l'histoire de Port-Royal*.

1697 Troisième édition de ses *Œuvres* (1re en 1676, 2e en 1687).

1699 Mort de Racine. Il se fait enterrer à Port-Royal auprès de son ancien maître Hamon.

1709 Les dernières religieuses de Port-Royal sont expulsées et dispersées.

1711 Le monastère de Port-Royal est rasé sur ordre de Louis XIV. Cela n'empêchera pas la persistance de la sensibilité et du « parti » jansénistes pendant tout le XVIIIe siècle et au-delà.

NOTE SUR LE JANSÉNISME

Il est hors de question de retracer ici l'histoire du jansénisme. On trouvera quelques éléments de cette histoire dans la « Vie de Racine » qui précède et des compléments chez les critiques qui ont souligné l'influence de cette « vision du monde » sur l'univers racinien (Bénichou, Barthes, Mauron, Goldmann...).

La finalité de cette note est simplement d'indiquer, schématiquement, dans quel débat théologique, fondamental dans l'histoire du christianisme, se situe la controverse qui a opposé, au XVIIe et au début du XVIIIe siècle, les jansénistes à la royauté française, la papauté et les jésuites. Au cœur du débat : quelle est la part dans le salut de l'homme de sa liberté et de la grâce ? Au Ve siècle déjà un conflit avait opposé le moine Pélage, qui soutenait que l'homme pouvait être sauvé par sa seule volonté, et saint Augustin, lui opposant qu'il ne peut l'être que par la grâce de Dieu. Pélage fut déclaré hérétique, mais la question réapparut ensuite régulièrement au cours des siècles suivants.

Luther et Calvin réaffirmèrent que ce n'est que par la grâce divine et non par ses œuvres que l'homme peut échapper à la damnation. C'est à peu près la même thèse, après Jansénius, et même s'ils se défendent farouchement d'être calvinistes, que les jansénistes de Port-Royal essayèrent de faire admettre par la papauté et l'Église de France. Selon eux, la grâce n'est pas accordée à tous les hommes : Dieu, dans sa toute-puissance, l'accorde à certains, la refuse à d'autres. Il peut même la refuser à celui qui désire de tout son être échapper au péché et se soumettre à la loi divine (ce sera le cas de Phèdre [cf. Préface]). Dans *Britannicus*, Junie peut apparaître (cf. plus loin la lecture de Goldmann) comme celle qui sait percevoir l'inauthenticité fondamentale du monde et s'en retire définitivement.

AU THÉÂTRE, À PARIS, AU XVIIe SIÈCLE

Déjà fécond au Moyen Âge avec les mystères que lui donnent les sources religieuses dont le théâtre portait l'empreinte depuis l'Antiquité grecque [1], renouvelé par l'érudition littéraire des poètes de la Renaissance qui privilégient l'écriture au détriment de la représentation et retrouvent l'inspiration des grandes tragédies antiques, l'art dramatique français atteint son apogée au XVIIe siècle, « siècle d'or » du théâtre classique comme le fut le Ve siècle avant J.-C. pour le théâtre grec.

Troupes et comédiens

Interprété par de simples baladins nomades disposant d'un répertoire assez pauvre devant un public grossier au début du XVIIe siècle, le théâtre devient une institution permanente qui à la fin de ce même siècle accueille un public raffiné venu applaudir les chefs-d'œuvre d'une brillante littérature dramatique.

Dans la première moitié du siècle, le théâtre de la foire était ouvert tous les ans : foire Saint-Germain, de février à la semaine de la Passion ; foire Saint-Laurent, de juillet à septembre. La foule des badauds attirés par les parades montées sur des tréteaux improvisés vient applaudir des bateleurs renommés, tels Bruscambille, Mondory et Tabarin, que des médecins ambulants dits « empiriques » ont pris à gages pour faire de la réclame en faveur de leurs drogues dans des baraques de fortune.

Après Pâques, pendant la morte-saison, des « compagnies » s'organisent à Paris. Elles comptent une dizaine de comédiens, un portier, un décorateur, parfois un poète payé à gages, mais considéré comme un luxe ou comme une bouche inutile, puisqu'il existe tant de pièces toutes faites sans droits d'auteur à payer ! Plus proches de la misère que de la gloire [2], elles parcourent la province en suivant les grands chemins. Installées un jour dans quelque hôtellerie, un autre dans un jeu de paume, elles représentent des pastorales ou des tragi-comédies à la mode. Les troupes de campagne les plus connues furent celles de Molière, de Filandre et de Floridor.

1. Voir dans le dossier d'*Iphigénie* de Racine : « Au théâtre à Athènes au Ve siècle av. J.-C. » ; ouvrage disponible dans la même collection.
2. Les tribulations du *Capitaine Fracasse* de Théophile Gautier (1863) — titre disponible dans la même collection, n° 6100 — donnent un aperçu très pittoresque de la vie des comédiens ambulants à cette époque.

À Paris même, à la fin du XVIe siècle, on ne trouve qu'une seule salle de théâtre fixe : elle est située non loin de l'église Saint-Eustache, à l'angle de la rue Mauconseil et de la rue Française, sur un terrain de l'hôtel de Bourgogne et appartient aux Confrères de la Passion, qui ont le monopole des représentations dans la capitale. Mais, en 1599, le manque de succès pousse les Confrères à louer leur salle à la troupe nomade de Valleran-Lecomte qui s'installe définitivement à l'hôtel de Bourgogne en 1628 [1]. Les comédiens, alors autorisés par Louis XIII à prendre le nom de « troupe royale », jouissent désormais d'une situation officielle privilégiée [2]. Ils jouent d'abord la farce où excelle le célèbre trio Gros-Guillaume, Gaultier-Garguille et Turlupin, puis se spécialisent dans la tragédie. Les acteurs les plus renommés seront le comique Poisson, Bellerose, Floridor, Montfleury et surtout la Champmeslé, interprète favorite de Racine.

Cependant une troupe nouvelle fait bientôt concurrence à la troupe royale : sous la direction du tragédien Mondory, elle se fixe au jeu de paume du Marais, rue Vieille-du-Temple. On y joue beaucoup la farce avec Jodelet, puis on monte surtout des pièces à machines qui séduisent le public par leurs artifices destinés à créer le merveilleux. Mais Mondory est frappé par une attaque d'apoplexie et reste paralysé : le théâtre va décliner jusqu'à sa fermeture en 1673 ; ses comédiens émigrent alors soit à l'hôtel de Bourgogne, soit chez Molière.

Après avoir tenté sa fortune en province, Jean-Baptiste Poquelin (Molière) revient à Paris en 1658 ; il gagne à ses comédiens le titre de « troupe de Monsieur », frère du roi, et s'installe dans la salle du Petit-Bourbon, sur la place du Louvre, face à Saint-Germain-l'Auxerrois, puis, après la démolition de celle-ci en 1660, dans la magnifique salle du Palais-Royal que Richelieu avait fait bâtir et qu'il partage avec les comédiens italiens. D'excellents éléments viennent constituer la troupe de Molière : sa propre épouse, Armande Béjart, qui joue les coquettes à la scène comme à la ville ; La Grange qui tient l'emploi des amou-

1. La salle de spectacle avait été construite en 1548. Sa troupe ne comporta pas de femmes jusqu'en 1634 : un homme portant un masque jouait les servantes et les nourrices. La dernière troupe qu'abrita l'hôtel de Bourgogne avant de disparaître fut celle de l'Opéra-Comique (1716-1782).

2. Pour la description détaillée de la salle de l'hôtel de Bourgogne, voir les très précises indications de décor qu'Edmond Rostand donne en ouverture de sa pièce *Cyrano de Bergerac* (1897) — titre disponible dans la même collection, n° 6007.

reux ; du Croisy qui assure celui des comiques ; le couple Du Parc : « Gros René » Berthelot, dit Du Parc, et son épouse, la belle Marquise-Thérèse, future créatrice du rôle d'Andromaque, qui interprète les jeunes premières ; et enfin Baron, un enfant de la balle, formé par Molière lui-même, et qui fut sans doute l'acteur le plus doué de son temps. Partisan du naturel dans l'art, Molière réagit vivement contre la déclamation emphatique de ses rivaux de l'hôtel de Bourgogne : ainsi imite-t-il Montfleury pour le ridiculiser dans *L'Impromptu de Versailles* ; il cherche à introduire dans la tragédie le goût de l'intonation juste avec un débit varié. Mais à sa mort, en 1673, la troupe doit quitter la salle du Palais-Royal pour s'installer rue Mazarine, à l'hôtel Guénégaud, un ancien jeu de paume aménagé en théâtre. Sur ordonnance royale, les meilleurs éléments du théâtre du Marais viennent se joindre à elle ; cependant la disparition de son chef et les dissensions intestines lui font perdre la faveur du roi et précipitent son déclin.

Vers la même époque, l'hôtel de Bourgogne souffre également de conflits internes : les deux troupes rivales qui subsistent avec difficulté expriment le vœu de fusionner. Comme le roi lui-même veut donner à Paris une seule compagnie, il ratifie ce souhait par une lettre de cachet qui accorde aux « comédiens français » le privilège exclusif « de représenter des comédies dans Paris » (1680). En 1687, la nouvelle troupe s'installe rue des Fossés-Saint-Germain, dans l'actuelle rue de l'Ancienne-Comédie, où elle donne désormais des représentations tous les jours ; elle compte quinze comédiens et douze comédiennes, appelés « comédiens ordinaires du roi » et pensionnés par lui : ainsi naquit la Comédie-Française.

À ces théâtres publics, s'ajoutent des salles privées : il est de bon ton d'aimer le théâtre, de patronner une troupe et de posséder sa propre scène où l'on offre des spectacles à ses amis. À côté des recettes des représentations publiques et des dons des protecteurs (entre autres le roi et sa famille), c'est une confortable source de revenus pour les comédiens, qui se partagent les bénéfices.

Les représentations

Leur fréquence augmente rapidement ; vers 1660, on jouait trois fois par semaine : le vendredi, réservé aux premières, le dimanche et le mardi. L'heure des représentations devient aussi de plus en plus tardive : on commençait en principe à deux heures pour terminer vers cinq ou six heures du soir ; puis, de retard en retard, souvent bien au-delà (cinq heures au début du XVIIIe siècle), parfois même après les vêpres ; cependant on ignore encore les soirées. Le spectacle est copieux et se compose souvent de deux pièces : une comédie en un ou trois actes et une tragédie, ou bien une comédie en cinq actes. Primitivement annoncé par une sorte de parade au son du tambour, il est publié par des affiches de couleurs variées, rédigées en termes pompeux ; jusqu'en 1625, elles oublient seulement de nommer les auteurs ! Mais la réclame est essentiellement assurée par l'orateur de la troupe : dans la salle même, il harangue les spectateurs pour le prochain spectacle ou présente la pièce et les acteurs dans un prologue pour la représentation du jour ; tâche qui exige autorité, tact et esprit : ce fut le cas de Bellerose et Floridor à l'hôtel de Bourgogne, Mondory au Marais, Molière et La Grange au Palais-Royal. L'entrée de la salle est surveillée par un portier qui a pour mission de refouler les mauvais payeurs : cela ne va pas sans rixes parfois sanglantes !

Les salles de spectacle, longues et assez étroites, sont déjà disposées comme de nos jours : loges et galeries forment un ovale autour de la scène ; nobles et grands bourgeois les occupent. Les loges sont traditionnellement réservées aux femmes « du bel air ». La petite bourgeoisie prend place sur des gradins disposés en amphithéâtre. Au centre, le parterre, quelquefois séparé de la scène par une grille : ses places sont bon marché (quinze sous ; les loges sont à vingt sous ; les prix sont doublés pour les premières représentations) et occupées exclusivement par les hommes, debout jusqu'en 1782. Un public populaire particulièrement bruyant et difficile à satisfaire ! Venue d'Angleterre, s'introduit en 1656 la coutume de réserver de chaque côté de la scène un certain nombre de sièges ou « banquettes » aux spectateurs élégants aussi soucieux de voir que d'être vus : les petits marquis semblables à ceux que ridiculise Molière [1] peuvent ainsi

1. Dans *Les Fâcheux* (1661), Molière trace le portrait d'un fâcheux redoutable, celui qui sévit dans les salles de théâtre et perturbe le spectacle par son sans-gêne :

... « Mais l'homme pour s'asseoir a fait nouveau fracas,
Et traversant encor le théâtre à grands pas,
Bien que dans les côtés il pût être à son aise,
Au milieu du devant il a planté sa chaise,
Et de son large dos morguant les spectateurs
Aux trois quarts du parterre a caché les acteurs. »

(acte I, scène 1, vers 29-34).

manifester aux yeux de tous leur enthousiasme ou leur désapprobation. Cette pratique se maintiendra jusqu'en 1760 : elle ne facilite guère les évolutions des acteurs ! De façon générale, l'assistance est agitée et le silence religieux qui s'impose de nos jours n'est pas de mise : allées et venues, conversations, éventuellement injures adressées aux comédiens ne cessent de perturber la séance [1]. Heureusement l'entretien des chandelles permet de ménager des pauses salutaires : il faut en effet les moucher régulièrement entre chaque acte si l'on ne veut pas enfumer la salle !

La scène, fort réduite, offre la forme d'un entonnoir ouvert vers le public. Elle est éclairée d'abord par des chandelles de cire fixées au mur derrière les acteurs, puis par deux lustres que l'on fait monter au début de la représentation ; les feux de la rampe n'existent pas encore. Longtemps la mise en scène demeura élémentaire. Le décor unique s'impose dès que la règle de l'unité de lieu fait disparaître l'utilisation de décors simultanés hérités du Moyen Âge. Pour les tragédies, le registre des décorateurs mentionne presque invariablement : « le théâtre est un palais à volonté » ; pour les comédies, « une place de ville » ou un intérieur stylisé. Mais peu à peu la mode de la mise en scène venue d'Italie développe le goût de la décoration somptueuse : on réalise des changements à vue, des effets de perspective avec machineries, on fait glisser sur des rails lunes, astres ou nuages, on imite les flots de la mer déchaînée par un système de cylindres ondulant derrière une toile.

1. Le premier acte de *Cyrano de Bergerac* (voir note 2, p. 112) offre le spectacle d'une salle truculente et colorée : les voleurs ne manquent pas pour venir, armés, tirer les manteaux ; les étudiants débitent leurs théories haut et fort ; tout le monde s'interpelle. Ainsi témoigne Bruscambille qui n'arrive pas à faire taire la salle pour lever le rideau :

« A-t-on commencé ? C'est pis qu'antan. L'un tousse, l'autre crache, l'autre pète, l'autre rit, l'autre gratte son cul ; il n'est pas jusqu'à messieurs les pages et laquais qui n'y veuillent mettre leur nez, tantôt faisant intervenir des gourmades réciproques, maintenant à faire pleuvoir des pierres sur ceux qui n'en peuvent mais... Toutes choses ont leur temps, toute action se doit conformer à ce pour quoi on l'entreprend : le lit pour dormir, la table pour boire, l'hôtel de Bourgogne pour ouïr et voir, assis ou debout, sans se bouger non plus qu'une nouvelle mariée. »

Au temps des « classiques » où les honnêtes femmes viendront écouter Racine, l'hôtel de Bourgogne affichera un vernis beaucoup plus policé !

Quant aux costumes, les acteurs mettent leur point d'honneur à afficher une garde-robe fastueuse, sans aucun souci de réalisme ou de couleur locale. Pour la comédie, on porte le costume de ville, ce qui permet aux amateurs de théâtre de se montrer généreux à bon compte en offrant à la troupe les vêtements qu'ils ne veulent plus porter ! Pour la tragédie, le costume « à la romaine » : chapeau à plumes ou casque empanaché, cuirasse et brodequins ; on arbore aussi le costume « à l'espagnole » ou « à la turque » avec turban. Personne ne se montre surpris ni choqué qu'Auguste apparaisse avec un large chapeau bordé de deux rangs de plumes rouges ou que Polyeucte adresse sa prière à Dieu coiffé d'une perruque, tenant à la main un feutre et des gants !

La représentation est devenue un rite social autant qu'un événement littéraire et artistique, une cérémonie dans l'esprit de celles de la cour ou des salons. Le théâtre jouit de l'appui du pouvoir, cependant l'Église fait peser sur lui une lourde réprobation morale, ainsi que sur le métier d'acteur : les comédiens sont frappés d'excommunication et on leur refuse la sépulture en terre sainte. Quant aux jansénistes, leur condamnation est sans appel. Pour Nicole, dont Racine fut un disciple (voir repères biographiques, p. 108), « un poète de théâtre est un empoisonneur public, non des corps, mais des âmes des fidèles ». Rupture consommée entre mondains et dévots, entre l'auteur à succès d'*Andromaque* et les Solitaires de Port-Royal.

INTERTEXTE

Ci-après on trouvera quelques textes dont la thématique est en rapport étroit avec celle de Britannicus *et, plus généralement, les préoccupations littéraires et métaphysiques de Racine. Les* Annales *de Tacite sont évidemment sa « source » principale. Il avait, comme ses contemporains, lu aussi* La Vie des douze Césars *de Suétone, plus anecdotique et scandaleuse. Mais Tacite, pour la philosophie de l'histoire qu'il met en scène, demeure, dans l'Antiquité, l'inspirateur fondamental. Ce qu'on a pu appeler le « tacitisme » (cf. in bibliographie, Ph. Butler) a été pour plusieurs auteurs du XVIIe siècle le « media » permettant d'exprimer une conception (constat) de l'histoire comme obéissant objectivement aux règles énoncées par Machiavel, auteur inavouable, même si* Le Prince *fut l'un des livres de chevet du cardinal de Richelieu... et de bien d'autres.*

A) TACITE : *ANNALES*
(livres XII, XIII, XIV)

1) *L'assassinat de Claude par Agrippine et la prise du pouvoir par Néron (XII)*

LXVI. En proie à de si graves soucis, Narcisse tomba malade et se rendit à Sinuesse, dans l'espoir que la douce température de l'air et la salubrité des eaux rétabliraient ses forces. Agrippine, dont le crime, résolu depuis longtemps, avait des ministres [1] tout prêts, saisit avidement l'occasion. Le choix du poison l'embarrassait un peu : trop soudain et trop prompt, il trahirait une main criminelle ; si elle en choisissait un qui consumât la vie dans une langueur prolongée, Claude, en approchant de son heure suprême, pouvait deviner le complot et revenir à l'amour de son fils. Il fallait un venin d'une espèce nouvelle, qui troublât la raison, sans trop hâter la mort. On jeta les yeux sur une femme habile en cet art détestable, nommée Locusta, condamnée depuis peu pour empoisonnement, et qui fut longtemps,

1. Exécutants.

pour les maîtres de l'empire, un instrument de pouvoir. Le poison fut préparé par le talent de cette femme, et donné par la main de l'eunuque Halotus, dont la fonction était de servir les mets et de les goûter.

LXVII. Tous les détails de ce crime devinrent bientôt si publics que les écrivains du temps n'en omettent aucun. Le poison fut mis dans un ragoût de champignons, mets favori du prince. La stupidité de Claude, ou peut-être l'ivresse, en déguisèrent l'effet pendant quelque temps. La nature, en soulageant ses entrailles, parut même l'avoir sauvé. Agrippine effrayée, et bravant tout parce qu'elle avait tout à craindre, s'adressa au médecin Xénophon, dont elle s'était assuré d'avance la complicité. Celui-ci, sous prétexte d'aider le vomissement, enfonça, dit-on, dans le gosier de Claude une plume imprégnée d'un poison subtil, bien convaincu que, s'il y a du péril à commencer les grands attentats, on gagne à les consommer.

LXVIII. Cependant le sénat s'assemblait, les consuls et les prêtres offraient des vœux pour la conservation du prince, tandis que son corps déjà sans vie était soigneusement enveloppé dans son lit, où l'on affecta de lui prodiguer des soins, jusqu'à ce que le pouvoir de Néron fût établi sans retour. Dès le premier instant, Agrippine, feignant d'être vaincue par la douleur et de chercher des consolations, courut auprès de Britannicus. Elle le serrait dans ses bras, l'appelait la vivante image de son père, empêchait par mille artifices qu'il ne sortît de son appartement. Elle retint de même ses sœurs Antonia et Octavie. Des gardes fermaient par ses ordres toutes les avenues du palais, et elle publiait de temps en temps que la santé du prince allait mieux, afin d'entretenir l'espérance des soldats, et d'attendre le moment favorable marqué par les astrologues.

LXIX. Enfin le trois avant les ides d'octobre, à midi, les portes du palais s'ouvrent tout à coup, et Néron, accompagné de Burrus, s'avance vers la cohorte qui, suivant l'usage militaire, faisait la garde à ce poste. Au signal donné par le préfet, Néron est accueilli avec des acclamations et placé dans une litière. Il y eut, dit-on, quelques soldats qui hésitèrent, regardant derrière eux, et demandant où était Britannicus. Mais, comme il ne s'offrait point de chef à la résistance, ils suivirent l'impulsion qu'on leur donnait. Porté dans le camp, Néron fit un discours approprié aux circonstances, promit des largesses égales à celles de son père, et fut salué empereur. Cet arrêt des soldats fut confirmé par les actes du sénat ; il n'y eut aucune hésitation dans les provinces. Les honneurs divins furent décernés à Claude, et ses funérailles célébrées avec la même pompe que celles d'Auguste ; car Agrippine fut jalouse d'égaler la magnificence de sa bisaïeule Livie. Toutefois on ne lut pas le testament, de peur que l'injustice d'un père qui sacrifiait son fils au fils de sa femme, ne révoltât les esprits et ne causât quelque trouble.

2) *La disgrâce d'Agrippine et l'assassinat de Britannicus (XIII)*

XI. Sous le consulat de Néron [1] et de L. Antistius, comme les magistrats juraient sur les actes des princes, Néron défendit à son collègue de jurer sur les siens : modestie à laquelle le sénat prodigua les éloges, afin que ce jeune cœur, animé par la gloire qui s'attachait aux plus petites choses, s'élevât jusqu'aux grandes. Ce trait fut suivi d'un exemple de douceur envers Plautius Latéranus, chassé du sénat comme coupable d'adultère avec Messaline : Néron le rendit à son ordre, engageant solennellement sa clémence, dans de fréquentes harangues que Sénèque, pour attester la sagesse de ses leçons ou pour faire briller son génie, publiait par la bouche du prince.

XII. Cependant le pouvoir d'Agrippine fut ébranlé peu à peu par l'amour auquel son fils s'abandonna pour une affranchie nommée Acté, et l'ascendant que prirent deux jeunes et beaux favoris qu'il mit dans sa confidence, Othon, issu d'une famille consulaire, et Sénécion, fils d'un affranchi du palais. Leur liaison avec le prince, ignorée d'abord, puis vainement combattue par sa mère, était née au sein des plaisirs, et avait acquis, dans d'équivoques et mystérieuses relations, une intimité chaque jour plus étroite. Au reste, ceux même des amis de Néron qui étaient plus sévères ne mettaient pas d'obstacles à son penchant pour Acté : ce n'était après tout qu'une femme obscure, et les désirs du prince étaient satisfaits sans que personne eût à se plaindre. Car son épouse Octavie joignait en vain la noblesse à la vertu : soit fatalité, soit attrait plus puissant des voluptés défendues, il n'avait que de l'aversion pour elle ; et il était à craindre que, si on lui disputait l'objet de sa fantaisie, il ne portât le déshonneur dans les plus illustres maisons.

XIII. Mais Agrippine, avec toute l'aigreur d'une femme offensée, se plaint qu'on lui donne une affranchie pour rivale, une esclave pour bru. Au lieu d'attendre le repentir de son fils ou la satiété, elle éclate en reproches, et plus elle l'en accable, plus

1. Cf. note 1, p. 32.

elle allume sa passion. Enfin Néron, dompté par la violence de son amour, dépouille tout respect pour sa mère, et s'abandonne à Sénèque. Déjà un ami de ce dernier, Annéus Sérénus, feignant d'aimer lui-même l'affranchie, avait prêté son nom pour voiler la passion naissante du jeune prince ; et les secrètes libéralités de Néron passaient en public pour des présents de Sérénus. Alors Agrippine change de système, et emploie pour armes les caresses : c'est son appartement, c'est le sein maternel, qu'elle offre pour cacher les plaisirs dont un si jeune âge et une si haute fortune ne sauraient se passer. Elle s'accuse même d'une rigueur hors de saison ; et ouvrant son trésor, presque aussi riche que celui du prince, elle l'épuise en largesses ; naguère sévère à l'excès pour son fils, maintenant prosternée à ses pieds. Ce changement ne fit pas illusion à Néron. D'ailleurs les plus intimes de ses amis voyaient le danger, et le conjuraient de se tenir en garde contre les pièges d'une femme toujours implacable, et alors implacable à la fois et dissimulée. Il arriva que vers ce temps Néron fit la revue des ornements dont s'étaient parées les épouses et les mères des empereurs, et choisit une robe et des pierreries qu'il envoya en présent à sa mère. Il n'avait rien épargné : il offrait les objets les plus beaux, et ces objets, que plus d'une femme avait désirés, il les offrait sans qu'on les demandât. Mais Agrippine s'écria « que c'était moins l'enrichir d'une parure nouvelle, que la priver de toutes les autres, et que son fils lui faisait sa part dans un héritage qu'il tenait d'elle tout entier ». On ne manqua pas de répéter ce mot et de l'envenimer.

XIV. Irrité contre ceux dont s'appuyait cet orgueil d'une femme, le prince ôte à Pallas la charge qu'il tenait de Claude et qui mettait en quelque sorte le pouvoir dans ses mains. On rapporte qu'en le voyant se retirer suivi d'un immense cortège, Néron dit assez plaisamment que Pallas allait abdiquer : il est certain que cet affranchi avait fait la condition que le passé ne donnerait lieu contre lui à aucune recherche, et qu'il serait quitte envers la république. Cependant Agrippine, forcenée de colère, semait autour d'elle l'épouvante et la menace ; et, sans épargner même les oreilles du prince, elle s'écriait « que Britannicus n'était plus un enfant ; que c'était le véritable fils de Claude, le digne héritier de ce trône, qu'un intrus et un adopté n'occupait que pour outrager sa mère. Il ne tiendrait pas à elle que tous les malheurs d'une maison infortunée ne fussent mis au grand jour, à commencer par l'inceste et le poison. Grâce aux dieux et à sa prévoyance, son beau-fils au moins vivait encore : elle irait avec lui dans le camp, on entendrait d'un côté la fille de Germanicus, et de l'autre l'estropié Burrus et l'exilé Sénèque, venant, l'un avec son bras mutilé, l'autre avec sa voix de rhéteur, solliciter l'empire de l'univers ». Elle accompagne ces discours de gestes violents, accumule les invectives, en appelle à la divinité de Claude, aux mânes des Silanus, à tant de forfaits inutilement commis.

XV. Néron, alarmé de ces fureurs, et voyant Britannicus près d'achever sa quatorzième année, rappelait tour à tour à son esprit et les emportements de sa mère, et le caractère du jeune homme, que venait de révéler un indice léger, sans doute, mais qui avait vivement intéressé en sa faveur. Pendant les fêtes de Saturne, les deux frères jouaient avec des jeunes gens de leur âge, et, dans un de ces jeux, on tirait au sort la royauté ; elle échut à Néron. Celui-ci, après avoir fait aux autres des commandements dont ils pouvaient s'acquitter sans rougir, ordonne à Britannicus de se lever, de s'avancer, et de chanter quelque chose. Il comptait faire rire aux dépens d'un enfant étranger aux réunions les plus sobres, et plus encore aux orgies de l'ivresse. Britannicus, sans se déconcerter, chanta des vers dont le sens rappelait qu'il avait été précipité du rang suprême et du trône paternel. On s'attendrit, et l'émotion fut d'autant plus visible que la nuit et la licence avaient banni la feinte. Néron comprit cette censure, et sa haine redoubla. Agrippine par ses menaces en hâta les effets. Nul crime dont on pût accuser Britannicus, et Néron n'osait publiquement commander le meurtre d'un frère : il résolut de frapper en secret, et fit préparer du poison. L'agent qu'il choisit fut Julius Pollio, tribun d'une cohorte prétorienne, qui avait sous sa garde Locusta, condamnée pour empoisonnement, et fameuse par beaucoup de forfaits. Dès longtemps on avait eu soin de ne placer auprès de Britannicus que des hommes pour qui rien ne fût sacré : un premier breuvage lui fut donné par ses gouverneurs mêmes, et ses entrailles s'en délivrèrent, soit que le poison fût trop faible, soit qu'on l'eût mitigé, pour qu'il ne tuât pas sur-le-champ. Néron, qui ne pouvait souffrir cette lenteur dans le crime, menace le tribun, ordonne le supplice de l'empoisonneuse, se plaignant que, pour prévenir de vaines rumeurs et se ménager une apologie, ils retardaient sa sécurité. Ils lui promirent alors un venin qui tuerait aussi vite que le fer : il fut distillé auprès de la chambre du prince, et composé de poisons d'une violence éprouvée.

XVI. C'était l'usage que les fils des princes mangeassent assis avec les autres nobles de leur âge, sous les yeux de leurs parents, à une table séparée et plus frugale. Britannicus était à l'une de ces tables. Comme il ne mangeait ou ne buvait rien qui n'eût été goûté par un esclave de confiance, et qu'on ne voulait ni manquer à cette coutume, ni déceler le crime par deux morts à la fois, voici la ruse qu'on imagina. Un breuvage encore innocent, et goûté par l'esclave, fut servi à Britannicus ; mais la liqueur était trop chaude, et il ne put la boire. Avec l'eau dont on la rafraîchit, on y versa le poison, qui circula si rapidement dans ses veines qu'il lui ravit en même temps la parole et la vie. Tout se trouble autour de lui : les moins prudents s'enfuient, ceux dont la vue pénètre le plus avant demeurent immobiles, les yeux attachés sur Néron. Le prince, toujours penché sur son lit et feignant de ne rien savoir, dit que c'était un événement ordinaire, causé par l'épilepsie dont Britannicus était attaqué depuis l'enfance ; que peu à peu la vue et le sentiment lui reviendraient. Pour Agrippine, elle composait inutilement son visage : la frayeur et le trouble de son âme éclatèrent si visiblement qu'on la jugea aussi étrangère à ce crime que l'était Octavie, sœur de Britannicus : et en effet, elle voyait dans cette mort la chute de son dernier appui et l'exemple du parricide. Octavie aussi, dans un âge si jeune, avait appris à cacher sa douleur, sa tendresse, tous les mouvements de son âme. Ainsi, après un moment de silence, la gaieté du festin recommença.

XVII. La même nuit vit périr Britannicus et allumer son bûcher. L'apprêt des funérailles était fait d'avance ; elles furent simples : toutefois ses restes furent ensevelis au Champ-de-Mars ; il tombait une pluie si violente, que le peuple y vit un signe de la colère des dieux contre un forfait que bien des hommes ne laissaient pas d'excuser, en se rappelant l'histoire des haines fraternelles et en songeant qu'un trône ne se partage pas. Presque tous les écrivains de ce temps rapportent que, les derniers jours avant l'empoisonnement, Néron déshonora par de fréquents outrages l'enfance de Britannicus. Ainsi, quoique frappé à la table sacrée du festin, sous les yeux de son ennemi, et si rapidement qu'il ne put même recevoir les embrassements d'une sœur, on ne trouve plus sa mort ni prématurée, ni cruelle, quand on voit l'impureté souiller, avant le poison, ce reste infortuné du sang des Claudius. Néron excusa par un édit la précipitation des obsèques. « C'était, disait-il, la coutume de nos ancêtres, de soustraire aux yeux les funérailles du jeune âge, sans en prolonger l'amertume par une pompe et des éloges funèbres. Quant à lui, privé de l'appui d'un frère, il n'avait plus d'espérance que dans la république ; nouveau motif pour le sénat et le peuple d'entourer de leur bienveillance un prince qui restait seul d'une famille née pour le rang suprême. » Ensuite il combla de largesses les principaux de ses amis.

3) *Racine ne met pas en scène l'assassinat d'Agrippine par Néron... si ce n'est par des allusions, transparentes pour le public nourri de culture latine du* XVIIe *siècle, en particulier dans la grande scène (V, 6) où Agrippine prophétise sa propre mort et le suicide de son fils. Ci-après (livre XIV des* Annales*) le récit de la mort d'Agrippine.*

III. Elle finit, en quelque lieu qu'elle fût, par lui peser tellement, qu'il résolut sa mort. Il n'hésitait plus que sur les moyens, le poison, le fer, ou tout autre. Le poison lui plut d'abord ; mais, si on le donnait à la table du prince, une fin trop semblable à celle de Britannicus ne pourrait être rejetée sur le hasard ; tenter la foi des serviteurs d'Agrippine paraissait difficile, parce que l'habitude du crime lui avait appris à se défier des traîtres ; enfin, par l'usage des antidotes, elle avait assuré sa vie contre l'empoisonnement. Le fer avait d'autres dangers : une mort sanglante ne pouvait être secrète, et Néron craignait que l'exécuteur choisi pour ce grand forfait ne méconnût ses ordres. Anicet offrit son industrie : cet affranchi, qui commandait la flotte de Misène, avait élevé l'enfance de Néron, et haïssait Agrippine autant qu'il en était haï. Il montre « que l'on peut disposer un vaisseau de telle manière, qu'une partie détachée artificiellement en pleine mer la submerge à l'improviste. Rien de plus fertile en hasards que la mer : quand Agrippine aura péri dans un naufrage, quel homme assez injuste imputera au crime le tort des vents et des flots ? Le prince donnera d'ailleurs à sa mémoire un temple, des autels, tous les honneurs où peut éclater la tendresse d'un fils. »

IV. Cette invention fut goûtée, et les circonstances la favorisaient. L'empereur célébrait à Baïes les fêtes de Minerve ; il y attire sa mère, à force de répéter qu'il faut souffrir l'humeur de ses parents, et apaiser les ressentiments de son cœur : discours calculés pour autoriser des bruits de réconciliation, qui seraient reçus d'Agrippine avec cette crédulité de la joie, si naturelle aux femmes. Agrippine venait d'Antium ; il alla au-devant d'elle le long du rivage, lui donna la main, l'embrassa et la conduisit à Baules ; c'est le nom d'une maison de plaisance, située sur une pointe et baignée par la mer, entre le promontoire de Misène et le lac de Baïes. Un vaisseau plus orné que les autres attendait la mère du prince, comme si son fils eût voulu lui offrir encore cette distinction ; car elle montait ordinairement une trirème, et se servait des rameurs de la flotte : enfin, un repas où on l'avait invitée donnait le moyen d'envelopper le crime dans les ombres de la nuit. C'est une opinion assez accréditée que le secret fut trahi, et qu'Agrippine, avertie du complot et ne sachant si elle y devait croire, se rendit en litière à Baïes. Là, les caresses de son fils dissipèrent ses craintes ; il la combla de prévenances, la fit placer à table au-dessus de lui. Des entretiens variés, où Néron affecta tour à tour la familiarité du jeune âge et toute la gravité d'une confidence auguste, prolongèrent le festin. Il la reconduisit à son départ, couvrant de baisers ses yeux et son sein ; soit qu'il voulût mettre le comble à la dissimulation, soit que la vue d'une mère qui allait périr attendrît en ce dernier instant cette âme dénaturée.

V. Une nuit brillante d'étoiles, et dont la paix s'unissait au calme de la mer, semblait préparée par les dieux pour mettre le crime dans toute son évidence. Le navire n'avait pas encore fait beaucoup de chemin. Avec Agrippine étaient deux personnes de sa cour, Crépéréius Gallus et Acerronie. Le premier se tenait debout près du gouvernail ; Acerronie, appuyée sur le pied du lit où reposait sa maîtresse, exaltait, avec l'effusion de la joie, le repentir du fils et le crédit recouvré par la mère. Tout à coup, à un signal donné, le plafond de la chambre s'écroule sous une charge énorme de plomb. Crépéréius écrasé reste sans vie. Agrippine et Acerronie sont défendues par les côtés du lit qui s'élevaient au-dessus d'elles, et qui se trouvèrent assez forts pour résister au poids. Cependant le vaisseau tardait à s'ouvrir, parce que, dans le désordre général, ceux qui n'étaient pas du complot embarrassaient les autres. Il vint à l'esprit des rameurs de peser tous du même côté, et de submerger ainsi le navire. Mais, dans ce dessein formé subitement, le concert ne fut point assez prompt ; et une partie, en faisant contre-poids, ménagea aux naufragées une chute plus douce. Acerronie eut l'imprudence de s'écrier « qu'elle était Agrippine, qu'on sauvât la mère du prince » ; et elle fut tuée à coups de crocs, de rames, et des autres instruments qui tombaient sous la main. Agrippine, qui gardait le silence, fut moins remarquée, et reçut cependant une blessure à l'épaule. Après avoir nagé quelque temps, elle rencontra des barques qui la conduisirent dans le lac Lucrin, d'où elle se fit porter à sa maison de campagne.

VI. Là, rapprochant toutes les circonstances, et la lettre perfide, et tant d'honneurs prodigués pour une telle fin, et ce naufrage près du port, ce vaisseau qui, sans être battu par les vents ni poussé contre un écueil, s'était rompu par le haut comme un édifice qui s'écroule ; songeant en même temps au meurtre d'Acerronie, et jetant les yeux sur sa propre blessure, elle comprit que le seul moyen d'échapper aux embûches était de ne pas les deviner. Elle envoya l'affranchi Agérinus annoncer à son fils « que la bonté des dieux et la fortune de l'empereur l'avaient sauvée d'un grand péril ; qu'elle le priait, tout effrayé qu'il pouvait être du danger de sa mère, de différer sa visite ; qu'elle avait en ce moment besoin de repos ». Cependant, avec une sécurité affectée, elle fait panser sa blessure et prend soin de son corps. Elle ordonne qu'on recherche le testament d'Acerronie, et qu'on mette le scellé sur ses biens : en cela seulement elle ne dissimulait pas.

VII. Néron attendait qu'on lui apprît le succès du complot, lorsqu'il reçut la nouvelle qu'Agrippine s'était sauvée avec une légère blessure, et n'avait couru que ce qu'il fallait de danger pour ne pouvoir en méconnaître l'auteur. Éperdu, hors de lui-même, il croit déjà la voir accourir avide de vengeance. « Elle allait armer ses esclaves, soulever les soldats, ou bien se jeter dans les bras du sénat et du peuple, et leur dénoncer son naufrage, sa blessure, le meurtre de ses amis : quel appui restait-il au prince, si Burrus et Sénèque ne se prononçaient ? » Il les avait mandés dès le premier moment : on ignore si auparavant ils étaient instruits. Tous deux gardèrent un long silence, pour ne pas faire des remontrances vaines ; ou peut-être croyaient-ils les choses arrivées à cette extrémité, que, si l'on ne prévenait Agrippine, Néron était perdu. Enfin Sénèque, pour seule initiative, regarda Burrus et lui demanda s'il fallait ordonner le meurtre aux gens de guerre. Burrus répondit « que les prétoriens, attachés à toute la maison des Césars, et pleins du souvenir de Germanicus, n'oseraient armer leur bras contre sa fille. Qu'Anicet achevât ce qu'il avait promis ». Celui-ci se charge avec empressement de consommer le crime. À l'instant Néron s'écrie « que c'est en ce jour qu'il reçoit l'empire, et qu'il tient de son affranchi ce magnifique présent ; qu'Anicet parte au plus vite et emmène avec lui des hommes dévoués ». De son côté, apprenant que l'envoyé d'Agrippine, Agérinus, demandait audience, il prépare aussitôt une scène accusatrice. Pendant qu'Agérinus expose son message, il jette une épée entre les jambes de cet homme ; ensuite il le fait garrotter comme un assassin pris en flagrant délit, afin de pouvoir feindre que sa mère avait attenté aux jours du prince ; et que, honteuse de voir son crime découvert, elle s'en était punie par la mort.

VIII. Cependant, au premier bruit du danger d'Agrippine, que l'on attribuait au hasard, chacun se précipite vers le rivage. Ceux-ci montent sur les digues ; ceux-là se jettent dans des barques ; d'autres s'avancent dans la mer, aussi loin qu'ils peuvent ; quelques-uns tendent les mains. Toute la côte retentit de plaintes, de vœux, du bruit confus de mille questions diverses, de mille réponses incertaines. Une foule immense était accourue avec des flambeaux : enfin l'on sut Agrippine vivante, et déjà on se disposait à la féliciter quand la vue d'une troupe armée et menaçante dissipa ce concours. Anicet investit la maison, brise la porte, saisit les esclaves qu'il rencontre, et parvient à l'entrée de l'appartement. Il y trouva peu de monde ; presque tous, à son approche, avaient fui épouvantés. Dans la chambre, il n'y avait qu'une faible lumière, une seule esclave, et Agrippine, de plus en plus inquiète de ne voir venir personne de chez son fils, pas même Agérinus. La face des lieux subitement changée, cette solitude, ce tumulte soudain, tout lui présage le dernier des malheurs. Comme la suivante elle-même s'éloignait : « Et toi aussi, tu m'abandonnes », lui dit-elle : puis elle se retourne et voit Anicet, accompagné du triérarque Herculéus et d'Oloarite, centurion de la flotte. Elle lui dit « que, s'il était envoyé pour la visiter, il pouvait annoncer qu'elle était remise ; que, s'il venait pour un crime, elle en croyait son fils innocent ; que le prince n'avait point commandé un parricide ». Les assassins environnent son lit, et le triérarque lui décharge le premier coup de bâton sur la tête. Le centurion tirait son glaive pour lui donner la mort : « Frappe ici », s'écria-t-elle, en lui montrant son ventre, et elle expira percée de plusieurs coups.

(Traduction de J.-L. Burnouf,
Paris, 1828.)

B) MACHIAVEL : *LE PRINCE* (chap. XVII)

La deuxième moitié du XVIe siècle et la première du XVIIe siècle avaient vu de multiples réfutations de Machiavel. Sur la scène tragique, par exemple, Corneille met en scène une vision du monde et du pouvoir antimachiavélienne. Mais pour asseoir son pouvoir, le jeune Louis XIV avait su se conduire, avec l'aide de Colbert, en parfait machiavélien... Il faut noter qu'il n'y a aucune contradiction de fait entre une pratique machiavélienne et un discours antimachiavélien ! On peut même dire que leur association est logique. C'est pourquoi l'un des grands machiavéliens du XVIII*e siècle, Frédéric II de Prusse, écrira un* Anti-Machiavel *(1739), qu'il fera préfacer par Voltaire*[1]...

Dans ce chapitre XVII *du* Prince, *il est discuté d'un problème politique central dans* Britannicus *: vaut-il mieux pour le prince être aimé ou être craint ? Burrhus contre Narcisse.*

DE LA CRUAUTÉ ET DE LA PITIÉ ; ET S'IL VAUT MIEUX ÊTRE AIMÉ QUE CRAINT, OU LE CONTRAIRE

Venant ensuite aux autres qualités citées ci-dessus, je dis que chaque prince doit désirer être réputé miséricordieux et non pas cruel : néanmoins il doit prendre garde de ne pas faire un mauvais usage de la pitié. César Borgia était jugé cruel ; néanmoins sa cruauté avait restauré la Romagne, l'avait unifiée, l'avait ramenée en paix et en confiance. Ce en quoi, si l'on considère bien, on verra qu'il a été beaucoup plus miséricordieux que le peuple florentin, qui, pour fuir le nom de cruel, laissa détruire Pistoia. Aussi un prince ne doit-il pas se soucier du mauvais renom de cruel, pour maintenir ses sujets dans l'union et la confiance. Car, avec très peu d'exemples, il sera plus miséricordieux que ceux qui, par excès de pitié, laissent se développer les désordres, d'où naissent meurtres et brigandages : car ceux-ci nuisent d'ordinaire à une collectivité tout entière, alors que les exécutions venant du prince nuisent à un individu. Parmi tous les princes, c'est au prince nouveau qu'il est impossible de fuir le nom de cruel, car les nouveaux États sont pleins de dangers. Virgile dit par la bouche de Didon : « Les circonstances difficiles et la nouveauté de mon règne me contraignent à procéder ainsi et à faire garder toutes les frontières[2]. »

Néanmoins le prince doit être pondéré dans ses opinions et ses décisions, ne pas s'effrayer lui-même et procéder d'une manière tempérée par la sagesse et l'humanité, afin qu'une excessive confiance ne le rende pas imprudent et que trop de défiance ne le rende pas insupportable.

De là naît un débat : vaut-il mieux être aimé que craint, ou l'inverse ? On répond qu'il faudrait être l'un et l'autre ; mais, parce qu'il est difficile de les assembler, il est beaucoup plus sûr d'être craint qu'aimé, si l'on doit manquer de l'un des deux. Car

1. Voir Machiavel, *Le Prince*, dans la même collection, n° 6036.
2. Virgile, *Énéide*, I, 562-563.

l'on peut dire des hommes généralement ceci : qu'ils sont ingrats, changeants, simulateurs et dissimulateurs, lâches devant les dangers, avides de profit. Tant que vous leur faites du bien, ils sont tout à vous, vous offrent leur richesse, leurs biens, leur vie et leurs enfants, comme je l'ai dit plus haut, quand le besoin en est éloigné. Mais, quand celui-ci s'approche de vous, ils se détournent. Le prince qui s'est entièrement fondé sur leurs paroles, se trouvant dépourvu de tout préparatif, s'effondre. Car les amitiés que l'on acquiert à prix d'argent et non par grandeur et noblesse d'âme, on les achète, mais on ne les possède pas, et le moment venu on ne peut les dépenser. Les hommes ont moins d'hésitation à nuire à quelqu'un qui se fait aimer qu'à quelqu'un qui se fait craindre, parce que l'amour est maintenu par un lien d'obligation qui, les hommes étant méchants, est rompu par toute occasion de profit personnel ; mais la cruauté est maintenue par la peur du châtiment, qui ne vous abandonne jamais. Néanmoins le prince doit se faire craindre de façon que, s'il n'acquiert pas l'amour, il fuie la haine ; car être craint et n'être pas haï sont deux choses qui peuvent très bien aller ensemble. Il y arrivera toujours pourvu qu'il s'abstienne des biens de ses concitoyens et de ses sujets, et de leurs femmes. S'il lui faut cependant s'en prendre à la vie de quelqu'un, il faut le faire à condition qu'il y ait une justification convenable et une cause manifeste ; mais surtout s'abstenir du bien d'autrui, car les hommes oublient plus vite la mort de leur père que la perte de leur patrimoine. Ensuite, les motifs d'enlever son bien à autrui ne manquent jamais ; et toujours celui qui commence à vivre de brigandages trouve des motifs de prendre le bien d'autrui ; contre la vie, au contraire, ils sont plus rares et font plus vite défaut.

Mais quand le prince est avec ses armées et a sous ses ordres une foule de soldats, alors il est absolument nécessaire de ne pas se soucier du nom de cruel, car sans ce nom on n'a jamais maintenu l'unité de l'armée et sa disponibilité à tous les combats. Parmi toutes les admirables actions d'Annibal on compte celle-ci, qu'ayant une très grosse armée, mêlée de toutes sortes d'hommes, qu'il mena combattre en des terres étrangères, jamais n'y surgit aucune dissension ni interne ni contre son chef, dans la bonne comme dans la mauvaise fortune. Ce qui ne put provenir d'autre chose que de son inhumaine cruauté, qui, avec ses infinies qualités, le rendit toujours vénérable et terrible aux yeux de ses soldats ; sans elle, pour obtenir cet effet, ses autres vertus ne lui auraient pas suffi. Les écrivains inconsidérés, d'une part, admirent ses actions, et d'autre part condamnent leur cause principale. Qu'il soit vrai que ses autres qualités ne lui auraient pas suffi, on peut le voir en Scipion, homme exceptionnel non seulement en son temps mais dans la mémoire des choses que l'on connaît, dont les armées se révoltèrent en Espagne. Ce qui ne provint de rien d'autre que de sa trop grande miséricorde, qui avait donné à ses soldats plus de licence qu'il ne convenait à la discipline militaire. Chose qui lui fut reprochée au Sénat par Fabius Maximus, qui l'appela corrupteur de l'armée romaine. Les Locriens, ayant été détruits par un légat de Scipion, ne furent pas vengés par lui, ni châtiée l'insolence de ce légat, tout cela provenant de la facilité de sa nature ; si bien que quelqu'un qui voulait l'excuser au Sénat dit qu'il y avait nombre d'hommes comme lui qui savaient mieux ne pas commettre d'erreurs que corriger les erreurs. Avec le temps une telle nature aurait gâté la renommée et la gloire de Scipion, s'il avait persévéré de la sorte dans son commandement, mais, comme il vivait sous le gouvernement du Sénat, cette qualité dommageable non seulement fut dissimulée, mais fut tout à sa gloire.

Je conclus donc, en revenant à ce qui est d'être craint et aimé, que, les hommes aimant selon leur gré et craignant selon le gré du prince, un prince sage doit se fonder sur ce qui lui est propre, non pas sur ce qui est propre à autrui : il doit donc seulement s'efforcer de fuir la haine, comme on a dit.

(Trad. de Christian Bec, *op. cit.*, note 1, p. 127.)

C) CORNEILLE : *CINNA OU LA CLÉMENCE D'AUGUSTE*

Dans cette tragédie de 1640, parmi ses plus célèbres, Corneille met en scène l'empereur Auguste, au faîte de sa puissance, découvrant brusquement que trois de ses favoris, qu'il a comblés de bienfaits (Cinna, Émilie et Maxime), ont comploté son assassinat. Dans le monologue qui suit (IV, 2), il se souvient des crimes qu'il a dû commettre pour parvenir au pouvoir et hésite entre la vengeance et le pardon. Conseillé par son épouse Livie, il finira par choisir la clémence.

Mais ce dénouement n'est pas aussi simple et édifiant (anti-machiavélien) qu'il semble. Les héros cornéliens sont souvent vertueux, mais toujours soucieux d'abord de leur « gloire ». En pardonnant à Cinna et à ses complices, Auguste fait certes preuve de grandeur d'âme, mais d'une telle grandeur d'âme qu'elle écrase ses bénéficiaires. C'est d'ailleurs le constat que font les trois comploteurs qui, désormais, pour rester « à la hauteur » du geste d'Auguste, ne pourront être que ses plus dévoués partisans. Comme quoi, chez Corneille du moins, la vertu peut être l'arme absolue. Nous sommes loin de Racine...

SCÈNE II : Auguste.

Ciel, à qui voulez-vous désormais que je fie
Les secrets de mon âme et le soin de ma vie ?
Reprenez le pouvoir que vous m'avez commis,
Si donnant des sujets il ôte les amis,
1125 Si tel est le destin des grandeurs souveraines
Que leurs plus grands bienfaits n'attirent que des haines,
Et si votre rigueur les condamne à chérir
Ceux que vous animez à les faire périr.
Pour elles rien n'est sûr, qui peut tout doit tout craindre.
1130 Rentre en toi-même, Octave, et cesse de te plaindre.
Quoi ! tu veux qu'on t'épargne, et n'as rien épargné !
Songe aux fleuves de sang où ton bras s'est baigné,
De combien ont rougi les champs de Macédoine,
Combien en a versé la défaite d'Antoine,
1135 Combien celle de Sexte, et revois tout d'un temps
Pérouse au sien noyée, et tous ses habitants.
Remets dans ton esprit, après tant de carnages,
De tes proscriptions les sanglantes images,
Où toi-même, des tiens devenu le bourreau,
1140 Au sein de ton tuteur enfonças le couteau
Et puis ose accuser le destin d'injustice,
Quand tu vois que les tiens s'arment pour ton supplice
Et que par ton exemple à ta perte guidés,
Ils violent des droits que tu n'as pas gardés !
1145 Leur trahison est juste et le ciel l'autorise,
Quitte ta dignité comme tu l'as acquise,
Rends un sang infidèle à l'infidélité,
Et souffre des ingrats après l'avoir été.
Mais que mon jugement au besoin m'abandonne !
1150 Quelle fureur, Cinna, m'accuse et te pardonne ?
Toi, dont la trahison me force à retenir
Ce pouvoir souverain dont tu me veux punir,
Me traite en criminel, et fait seule mon crime,
Relève pour l'abattre un trône illégitime,
1155 Et d'un zèle effronté couvrant son attentat,

S'oppose, pour me perdre, au bonheur de l'État !
Donc jusqu'à l'oublier je pourrais me contraindre,
Tu vivrais en repos après m'avoir fait craindre !
Non, non, je me trahis moi-même d'y penser,
1160 Qui pardonne aisément invite à l'offenser,
Punissons l'assassin, proscrivons les complices.
Mais quoi ? toujours du sang, et toujours des supplices !
Ma cruauté se lasse, et ne peut s'arrêter ;
Je veux me faire craindre, et ne fais qu'irriter.
1165 Rome a pour ma ruine une hydre trop fertile,
Une tête coupée en fait renaître mille,
Et le sang répandu de mille conjurés
Rend mes jours plus maudits, et non plus assurés.
Octave, n'attends plus le coup d'un nouveau Brute [1],
1170 Meurs et dérobe-lui la gloire de ta chute,
Meurs, tu ferais pour vivre un lâche et vain effort,
Si tant de gens de cœur font des vœux pour ta mort,
Et si tout ce que Rome a d'illustre jeunesse
Pour te faire périr tour à tour s'intéresse ;
1175 Meurs, puisque c'est un mal que tu ne peux guérir,
Meurs enfin, puisqu'il faut ou tout perdre, ou mourir.
La vie est peu de chose et le peu qui t'en reste
Ne vaut pas l'acheter par un prix si funeste.
Meurs, mais quitte du moins la vie avec éclat,
1180 Éteins-en le flambeau dans le sang de l'ingrat,
À toi-même en mourant immole ce perfide,
Contentant ses désirs, punis son parricide,
Fais un tourment pour lui de ton propre trépas,
En faisant qu'il le voie et n'en jouisse pas.
1185 Mais jouissons plutôt nous-même de sa peine,
Et si Rome nous hait, triomphons de sa haine.
Ô Romains, ô vengeance, ô pouvoir absolu,
Ô rigoureux combat d'un cœur irrésolu
Qui fuit en même temps tout ce qu'il se propose !
1190 D'un prince malheureux ordonnez quelque chose.
Qui des deux dois-je suivre et duquel m'éloigner ?
Ou laissez-moi périr, ou laissez-moi régner.

1. Brutus, l'un des assassins de Jules César, et son protégé.

D) PASCAL : *TROIS DISCOURS SUR LA CONDITION DES GRANDS*[1]

Dans son Second Discours, *Pascal définit sans ambiguïté l'absence totale de valeur de ce qu'il appelle les « grandeurs d'établissement », c'est-à-dire celles qui sont le fondement de la société civile de son époque (noblesse, royauté, etc.). Il conseille de s'y soumettre, mais comme il le dira dans ses* Pensées, *cette soumission apparente n'empêche pas les « idées de derrière la tête ».*

Dans Britannicus, *Junie comprend très tôt la fausseté du monde et fait le choix prôné par les jansénistes, le retrait.*

SECOND DISCOURS

Il est bon, monsieur, que vous sachiez ce que l'on vous doit, afin que vous ne prétendiez pas exiger des hommes ce qui ne vous est pas dû ; car c'est une injustice visible : et cependant elle est fort commune à ceux de votre condition, parce qu'ils en ignorent la nature.

Il y a dans le monde deux sortes de grandeurs ; car il y a des grandeurs d'établissement et des grandeurs naturelles. Les grandeurs d'établissement dépendent de la volonté des hommes, qui ont cru avec raison devoir honorer certains états et y attacher certains respects. Les dignités et la noblesse sont de ce genre. En un pays on honore les nobles, en l'autre les roturiers[2], en celui-ci les aînés, en cet autre les cadets. Pourquoi cela ? parce qu'il a plu aux hommes. La chose était indifférente avant l'établissement : après l'établissement elle devient juste, parce qu'il est injuste de la troubler.

Les grandeurs naturelles sont celles qui sont indépendantes de la fantaisie des hommes, parce qu'elles consistent dans les qualités réelles et effectives de l'âme ou du corps, qui rendent l'une ou l'autre plus estimable, comme les sciences, la lumière de l'esprit, la vertu, la santé, la force.

Nous devons quelque chose à l'une et à l'autre de ces grandeurs ; mais comme elles sont d'une nature différente, nous leur devons aussi différents respects. Aux grandeurs d'établissement, nous leur devons des respects d'établissement, c'est-à-dire certaines cérémonies extérieures qui doivent être néanmoins accom-

1. Ces trois discours ont été rapportés par Nicole.
2. Pascal ici pense à la Suisse.

pagnées, selon la raison, d'une reconnaissance intérieure de la justice de cet ordre, mais qui ne nous font pas concevoir quelque qualité réelle en ceux que nous honorons de cette sorte. Il faut parler aux rois à genoux ; il faut se tenir debout dans la chambre des princes. C'est une sottise et une bassesse d'esprit que de leur refuser ces devoirs.

Mais pour les respects naturels qui consistent dans l'estime, nous ne les devons qu'aux grandeurs naturelles ; et nous devons au contraire le mépris et l'aversion aux qualités contraires à ces grandeurs naturelles. Il n'est pas nécessaire, parce que vous êtes duc, que je vous estime ; mais il est nécessaire que je vous salue. Si vous êtes duc et honnête homme, je rendrai ce que je dois à l'une et à l'autre de ces qualités. Je ne vous refuserai point les cérémonies que mérite votre qualité de duc, ni l'estime que mérite celle d'honnête homme. Mais si vous étiez duc sans être honnête homme, je vous ferais encore justice ; car en vous rendant les devoirs extérieurs que l'ordre des hommes a attachés à votre naissance, je ne manquerais pas d'avoir pour vous le mépris intérieur que mériterait la bassesse de votre esprit.

Voilà en quoi consiste la justice de ces devoirs. Et l'injustice consiste à attacher les respects naturels aux grandeurs d'établissement, ou à exiger les respects d'établissement pour les grandeurs naturelles. M. N. est un plus grand géomètre que moi ; en cette qualité il veut passer devant moi : je lui dirai qu'il n'y entend rien. La géométrie est une grandeur naturelle ; elle demande une préférence d'estime ; mais les hommes n'y ont attaché aucune préférence extérieure. Je passerai donc devant lui ; et l'estimerai plus que moi, en qualité de géomètre. De même si, étant duc et pair, vous ne vous contentez pas que je me tienne découvert devant vous, et que vous voulussiez encore que je vous estimasse, je vous prierais de me montrer les qualités qui méritent mon estime. Si vous le faisiez, elle vous est acquise, et je ne vous la pourrais refuser avec justice ; mais si vous ne le faisiez pas, vous seriez injuste de me la demander, et assurément vous n'y réussiriez pas, fussiez-vous le plus grand prince du monde.

LEXIQUE RACINIEN

AMANT(E) : qui aime et qui est aimé ; le mot n'implique pas l'union sexuelle comme aujourd'hui ; il s'oppose à amoureux : qui aime sans être aimé.
AUDACE : insolence.
AVOUER : confirmer, reconnaître.
CAPRICE : moment de folie.
CONFONDRE : frapper de stupeur, de confusion.
D'ABORD : tout de suite.
ENNUI : tourment.
ENVIER : refuser.
ÉTONNÉ : frappé de stupeur (comme par le tonnerre).
FIERTÉ : caractère farouche, sauvage (fier : farouche, sauvage).
GÉNÉREUX : qui fait preuve de noblesse d'âme.
GÉNIE : caractère, nature.
INTELLIGENCE : entente, alliance.
MALICE : méchanceté.
NEVEU, NIÈCE : descendant(e).
NŒUD(S) : liens du mariage.
PARRICIDE : au sens large, désigne le meurtre de tout membre de sa famille.
QUERELLE (PRENDRE LA) : prendre le parti de.
RESPIRER : se reposer.
SÉDUIRE : tromper.
SIGNALER : distinguer, rendre remarquable.
SOIN : zèle, souci.
SURPRENDRE : s'emparer par surprise.
TIMIDE : craintif.
ZÈLE : dévouement.

INDEX NOMINUM

AGRIPPA : petit-fils d'Auguste, assassiné par Tibère.

AUGUSTE : petit-neveu de César et son héritier, nommé d'abord Octave puis Octavien, c'est lui qui met fin à la République romaine et installe l'Empire. Il prend, en 27 av. J.-C., le nom d'Auguste.

CAÏUS : l'empereur Caligula, frère d'Agrippine, célèbre par ses folies et sa cruauté.

CÉSAR : surnom, à l'origine, du célèbre Caïus Julius assassiné en 44 av. J.-C. Ce nom deviendra par la suite synonyme d'empereur (c'est ainsi qu'il sert dans la pièce de Racine pour désigner Néron).

CLAUDE (CLAUDIUS) : frère de Germanicus, oncle d'Agrippine, il succède à Caligula. De son mariage avec Messaline il aura Britannicus et Octavie, avant de la répudier et de la condamner à mort pour ses débauches. Il épousera ensuite sa nièce Agrippine.

CORBULON : proconsul d'Asie, aimé de ses hommes, il sera condamné à mort par Néron.

DOMITIUS ÆNOBARBUS : père de Néron.

GERMANICUS : surnom de Julius Caesar Nero, neveu de Tibère, père de Caligula et d'Agrippine, célèbre par ses victoires sur les Germains. Claude permettra plus tard au fils d'Agrippine de prendre ce glorieux nom de Néron (cf. la scène où Britannicus rappelle à Néron que son véritable nom est Domitius : III, 8).

LIVIE : épouse d'Auguste.

LOCUSTE : empoisonneuse célèbre.

OCTAVIE : sœur de Britannicus, fille de Claude et de Messaline.

OTHON : favori de Néron. Il succédera à Galba, successeur de Néron avant d'être assassiné. Puis il se suicidera après avoir été vaincu par Vitellius. Celui-ci deviendra empereur avant d'être massacré par le peuple...

PALLAS : l'un des trois principaux affranchis de Claude, avec Narcisse et Calliste. C'est Pallas qui pousse Claude à épouser Agrippine et reste de son côté après la mort de Claude. Narcisse, lui, tout en feignant de soutenir Britannicus, jouera la carte de Néron.

PISON : chef de la plus importante conspiration contre Néron, il sera obligé de se suicider, avec bien d'autres, dont Sénèque.

PLAUTUS : petit-fils d'Auguste, général glorieux dans les guerres d'Orient, il sera exécuté par Néron.

SILANUS : frère de Junie, il devait épouser Octavie. Après avoir été écarté par Agrippine au profit de Néron, il se suicida.

SYLLA : gendre de Claude, il sera exécuté par Néron.

TIBÈRE : fils d'un premier mariage de Livie, il fut adopté par Auguste quand celui-ci divorça pour épouser sa mère. Il épousa puis répudia la fille d'un premier mariage d'Auguste. Il lui succéda à la tête de l'Empire et s'y illustra par ses cruautés.

THRASEAS : sénateur connu pour sa probité, il fut condamné à mort par Néron.

LECTURES CRITIQUES

A) LE HÉROS RACINIEN ET LA POLITIQUE

Paul Bénichou analyse le nouvel héroïsme de la tragédie racinienne.

C'est ainsi que les peintures sympathiques de Racine, dès qu'il s'agit de héros masculins, sont irrémédiablement faibles ; ce qui n'apparaît qu'adouci dans les héroïnes est fade chez les héros. « Tendres, galants, doux et discrets », comme dit Voltaire ; tels étaient, non seulement les jeunes premiers de Racine, mais le jeune premier selon l'idéal des courtisans. Cette image flottait dans l'air à cette époque ; c'était tout ce qui pouvait rester de la chevalerie dans une cour où toute affirmation excessive de soi était bannie. Racine a bien fait ce qu'il a pu pour conserver à ses soupirants, Britannicus, Bajazet, Xipharès, de l'ambition, du courage, de l'attachement à leurs prétentions royales ; il a essayé de les rendre virils en même temps que touchants, ce qui ne veut pas dire qu'il soit parvenu à ceci ni à cela. Il travaillait dans les limites que son temps lui traçait : la dégradation de l'héritage chevaleresque, et l'attrait qu'il exerçait encore, étaient indépendants de sa volonté, et tout son génie n'a pas pu sortir de cette contradiction.

Hors cette image du gentilhomme délicat et du parfait amant, la cour ne concevait pas d'autres types que celui de l'honnête homme, ou celui de l'intrigant, tous deux médiocrement intéressants pour la tragédie, ou encore celui du politique à grands desseins. Mais, bien entendu, à l'époque où écrivait Racine, la seule politique qui fût capable d'alimenter un drame, celle de *Cinna* ou de *Nicomède*, était morte. Le temps de la rébellion aristocratique était passé, et l'absolutisme triomphant avait rendu désuets, à vingt ans d'intervalle, le personnage du conspirateur héroïque et les maximes de la politique généreuse. C'est bien pourquoi le drame politique tient si peu de place dans Racine, en dépit de Racine lui-même. Il a beau avoir écrit *Britannicus* et *Mithridate* : dès lors que la politique n'enthousiasme pas, qu'elle ne se développe pas en formules exaltantes, qu'elle ne montre pas aux prises un pouvoir injuste et des héros vengeurs — et Racine n'a pas voulu suivre en cela des habitudes qu'il sentait vieillies — elle se résout en un jeu d'ambitions qui ne s'élèvent guère au-dessus du niveau des passions privées. Même quand le regard est plus vaste, quand un grand dessein s'exprime ou que se plaide une grande cause, quand Racine ouvre au spectateur une fenêtre plus large sur la vie publique et sur l'histoire, ses tableaux, ses récits, son éloquence se tiennent toujours dans les limites de la nature. Ce sont des exposés où il y a plus de sens, de conduite et de mouvement naturel que de souffle héroïque. Tels sont les grands discours d'Agrippine et de Mithridate, ou les discussions du premier acte d'*Iphigénie.* C'est de la politique positive et non plus de la politique glorieuse ; c'est de la politique de cour et de conseil royal, à la fois vaste et réfléchie, imposante dans son allure et intéressée dans ses buts.

Ce n'est pas que Racine ait toujours écarté de ses scènes politiques les sentences et l'emphase ; la tradition, le désir d'égaler Corneille, les lui suggéraient avec trop de force. *Britannicus* est rempli de belles formules sur l'ancienne Rome, et *Mithridate* reproduit en partie les traditionnelles tirades des rois contre la servitude romaine. Mais l'évocation de la Rome républicaine est devenue bien pâle dans *Britannicus* ; la vertu romaine est un souvenir, et non plus un ressort de l'action, et la tirade où Burrhus décrit à Néron le monarque idéal qu'il pourrait être ressemble plus à une supplique désespérée qu'aux ombrageuses remontrances qu'on trouve en pareil cas chez Corneille. Il n'est pas indifférent que l'opposition au despotisme se traduise en gémissements dans les tragédies de Racine ; il ne pouvait guère en être autrement à l'époque où elles ont paru. Mais aussi on sent bien qu'il fallait autre chose qu'un conflit du type Néron-Burrhus pour soutenir une tragédie, et l'on comprend que le drame politique, affaibli à ce point, soit devenu un ornement, plus ou moins important, d'une action plus substantielle.

P. Bénichou, *Morales du grand siècle*,
Gallimard, 1948 ;
rééd. Folio-Essais, n° 99, pp. 200-202.

B) NÉRON, RACINE, LOUIS XIV

Les ennemis de Racine et tout le parti cornélien avaient reproché à Racine de n'avoir pas le sens de l'histoire. Ils avaient feint de ranger l'auteur d'*Andromaque* parmi les doucereux, au côté de Quinault. Il n'en fallut peut-être pas davantage pour inspirer à Racine le projet de *Britannicus.* Corneille avait, en 1664, fait jouer la tragédie d'*Othon.* Le jeune auteur voulut prouver qu'il était capable de rivaliser avec son aîné et de le vaincre sur son propre terrain.

Au centre de l'œuvre qu'il entreprenait d'écrire, il y avait Néron, et cette figure le fascinait. Si nous voulons comprendre l'image que ce nom évoquait, commençons par écarter celle qu'en a donnée trop souvent la représentation, celle d'un Talma olympien et formidable qui, pendant toute la pièce, n'oublie pas un instant qu'il est le maître du monde et l'un des grands monstres de l'histoire. Néron, tel que Racine le voit, est un jeune homme infiniment beau et gracieux. Il ne cesse d'être un enfant que de ce jour même, et tout le drame naît de sa révolte contre sa mère, contre ses conseillers, contre sa propre vertu. Le drame de Racine même.

La ressemblance, en effet, s'impose. Comme Néron, Racine a naguère entendu « le long récit de ses ingratitudes ». Comme lui, il s'est entendu rappeler les bienfaits dont on l'avait comblé. Comme lui, il s'est vu enchaîné à sa gloire passée, au personnage édifiant, pieux et tendre, qu'il avait longtemps joué. Comme lui, il a trouvé son principal ennemi en lui-même, dans sa faiblesse, dans ses scrupules, dans les habitudes acquises. Il pourrait dire, lui aussi, que des années de vertu l'arrêtent sur sa route. Il n'ignore pas ce qu'il ferait s'il osait être lui-même. Mais il sait qu'il est lâche. Il tremble devant ses maîtres comme Néron devant Agrippine. Trop longtemps il a lu dans leurs yeux son devoir. De sa mémoire trop fidèle il ne parvient pas à chasser le souvenir des bienfaits reçus :

> Et c'est pour m'affranchir de cette dépendance
> Que je la fuis partout, que même je l'offense...

De tels traits n'ont rien qui leur corresponde dans le théâtre de l'époque, dans Corneille même. Ils ne s'expliquent que par la lucidité d'un homme qui ose trouver en lui-même la véritable image de Néron.

Il osait aussi regarder autour de lui, et sa connaissance toute neuve de la cour de Louis XIV l'aidait à comprendre celle de l'Empereur. Il savait quelles intrigues, quelles passions sans frein dissimulait la prestigieuse façade du règne. Il savait que les ennemis du Prince le peignaient vaniteux, débauché et cruel. Il avait peut-être entendu répéter ce mot néronien qu'on attribuait au jeune roi : « Je sais qu'on ne m'aime pas mais je ne m'en soucie pas, car je veux régner par la crainte. » Comment aurait-il ignoré qu'en ces mois de 1668-1669 Mme de Soubise et Mlle de Grancey avaient accepté d'être pour quelques semaines les maîtresses du roi, en marge de ses liaisons avec La Vallière et Mme de Montespan, et pouvait-il n'y pas penser lorsqu'il faisait dire à Néron :

> Quoy, Narcisse, tandis qu'il n'est point de Romaine
> Que mon amour n'honore et ne rende plus vaine...

Il avait été le témoin de la « consternation », de « l'épouvante » de la cour lorsqu'elle avait appris, au mois de juin 1664, la disgrâce du vertueux M. de Navailles, chassé de ses emplois et exilé parce que sa femme avait tenté de s'opposer à la liaison du roi et de Mlle de La Vallière. Le rôle des Burrhus n'était pas plus aisé à Paris que dans le palais des Césars.

A. Adam, *Histoire de la littérature française au XVIIe siècle*, tome IV, Del Duca, 1954, pp. 326-328.

C) NÉRON ET JUNIE

Après avoir évoqué le dilemme posé à Néron par Burrhus et Narcisse, Roland Barthes conclut :

Pour le résoudre, Néron s'abandonnera finalement au système narcissien (se faire reconnaître du monde en le terrifiant). Mais ce n'est qu'après avoir esquissé tout au long de la pièce sa propre solution, et la solution de Néron, c'est Junie. Il ne doit Junie qu'à lui-même. Face à tout ce qui lui vient d'autrui et l'étouffe, pouvoir, vertu, conseils, morale, épouse, crime même, il n'y a qu'une part de lui qu'il a inventée, son amour. On sait comment il découvre Junie, et que cet amour naît de la spécialité même de son être, de cette chimie particulière de son organisme qui lui fait rechercher l'ombre et les larmes. Ce qu'il désire en Junie, c'est une complémentarité, la paix d'un corps différent et pourtant choisi, le repos de la nuit ; en un mot, ce que cet étouffé recherche frénétiquement, comme un noyé l'air, c'est la *respiration*[1]. La Femme est ici, selon les plus anciennes traditions gnostiques (reprises par le Romantisme), la Femme est médiatrice de paix, voie de réconciliation, inititiatrice de la Nature (contre la fausse Nature maternelle) ; soit trait juvénile, soit intuition, Néron voit dans son amour pour Junie une expérience ineffable qu'aucune description mondaine (et notamment celle qu'en donne Burrhus) ne peut épuiser [2].

Junie est la Vierge Consolatrice par un rôle d'essence, puisque Britannicus trouve en elle exactement ce que Néron vient y chercher : elle est celle qui pleure et recueille les pleurs, elle est l'Eau qui enveloppe, détend, elle est l'ombre dont Néron est le terme solaire. Pouvoir pleurer avec Junie, tel est le rêve néronien, accompli par le double heureux de Néron, Britannicus. Entre eux, la symétrie est parfaite : une épreuve de force les lie au même père, au même trône, à la même femme ; ils sont frères [3], ce qui veut dire, selon la nature racinienne, ennemis et englués l'un à l'autre ; un rapport magique (et, selon l'Histoire, érotique [4]) les unit : Néron fascine Britannicus [5], comme Agrippine fascine Néron. Issus du même point, ils ne font que se reproduire dans des situations contraires : l'un a dépossédé l'autre, en sorte que l'un a tout et l'autre n'a rien. Mais c'est précisément ici que s'articule la symétrie de leurs positions : Néron a tout et pourtant il n'est pas ; Britannicus n'a rien et pourtant il est : l'être se refuse à l'un tandis qu'il comble l'autre. *Avoir* ne peut rejoindre *Être* parce que l'Être ici ne vient pas du monde, comme Burrhus et Narcisse voudraient en persuader Néron, mais de Junie. C'est Junie qui fait exister Britannicus et qui repousse Néron dans la confusion d'un Passé destructeur et d'un avenir criminel. Entre Néron et Britannicus, Junie est l'arbitre absolu

1. [Les notes de cet extrait proviennent de l'édition originale.]

Si, ...
Je ne vais quelquefois respirer à vos pieds (II, 3).

2. Mais, croyez-moi, l'amour est une autre science (III, 1).
Naturellement, ce conflit entre la loi et la subversion s'exprime à travers un conflit de générations.

3. ... Britannicus mon frère (II, 1).

4. « Plusieurs écrivains de ce temps rapportent que, les jours qui précédèrent l'empoisonnement, Néron abusa fréquemment de la jeunesse de Britannicus » (Tacite, *Annales*, XIII, 17).

5. Il prévoit mes desseins, il entend mes discours (I, 4).

et absolument gracieux [1]. Selon une figure propre au Destin, elle *retourne* le malheur de Britannicus en grâce et le pouvoir de Néron en impuissance, l'avoir en nullité, et le dénuement en être. Par le caprice même de son regard, penchant d'un côté, se détournant de l'autre par un choix aussi immotivé que celui du *numen* divin, la Femme Consolatrice devient une Femme Vengeresse, la fécondité promise devient stérilité éternelle ; à peine éclos, Néron est frappé par la plus horrible des frustrations : son désir est condamné sans que l'objet en disparaisse, la Femme à qui il demandait de naître meurt sans mourir [2]. Le désespoir de Néron n'est pas celui d'un homme qui a perdu sa maîtresse ; c'est le désespoir d'un homme condamné à vieillir sans jamais naître.

R. Barthes, *Sur Racine*,
Le Seuil, 1963, pp. 92-94.

D) FIGURES DE L'INCONSCIENT

Après avoir fait remarquer l'analogie de structure entre Andromaque *et* Britannicus, *Charles Mauron pose l'hypothèse d'un « moule commun, d'une structure préexistante » dans l'inconscient racinien.*

Il semble, d'ailleurs, que le sujet brut de *Britannicus*, tel qu'il est fourni par Tacite, fut en soi plus proche de cette structure a priori que celui d'*Andromaque*. Racine, en effet, lui a fait subir moins de déformations. Il en a supprimé les crudités indécentes, l'homosexualité de Néron, la fureur incestueuse d'Agrippine. Mais le thème du fils qui se débat contre une mère possessive et jalouse jusqu'à la folie se trouve déjà dans Tacite, parce qu'il était déjà dans la vie de ses personnages. Racine, somme toute, traduit en français un latin qui bravait un peu trop l'honnêteté pour le goût de la cour (bien que cette dernière eût, on le sait,

1. Si l'on oublie un instant la mauvaise foi racinienne, qui *donne* Néron pour un monstre et Britannicus pour une victime-née, l'arbitrage de Junie annonce curieusement la *Candida* de Bernard Shaw : entre un mari, pasteur et sûr de lui, et un amoureux, poète et fragile, Candida est sommée d'aller *au plus faible* : elle va naturellement vers son mari. Le plus faible, ici, est évidemment Néron. Junie choisit Britannicus parce que le Destin est méchant.

2. Madame, sans mourir elle est morte pour lui (V, 8).

ses mignons et ses empoisonneuses). Tout autre avait été la déformation du sujet d'*Andromaque*. Il a fallu un grand travail pour en ramener les motifs antiques à ce conflit entre une volonté de vivre sacrilège (à la fois brutale et honteuse) et une pureté sacrée, subtilement flairée pour mortelle. Le motif de Néron, « monstre naissant », se prêtait bien mieux à cette antithèse. Après quelques années d'apparente vertu, Néron veut secouer à la fois le joug de la morale et de sa mère. Confondre Agrippine et la morale n'est à coup sûr pas chose aisée et Tacite n'y songe guère. C'est que Tacite ne camoufle pas les perversions sexuelles. Supprimez, au contraire, du tableau, comme Racine le fait par une décence devenue goût, ces réalités scandaleuses et vous obtenez simplement, à prendre les choses dans leur première apparence, un Néron révolté, brûlant d'être infidèle, sans scrupule, face à une mère offensée, passionnément dominatrice. Cette Agrippine chaste peut s'allier à la morale : elle est la mère (lavée d'inceste), elle est fidèle à son mari mort (qu'elle a peut-être empoisonné), elle adore son fils, enfin elle est la mère légitime, dont la cause s'identifie absolument avec celle de l'épouse légitime :

> Quoi ! Tu ne vois donc pas jusqu'où l'on me ravale,
> Albine ? C'est à moi qu'on donne une rivale.
>
> (Acte III, scène 4.)

On voit ainsi se dessiner une belle figure de surmoi maternel. Bien entendu, il ne s'agit là que d'un premier plan. Racine connaissait à fond Tacite, ses auditeurs l'avaient lu aussi et, derrière cette fureur du pouvoir ou cette maternelle jalousie qu'Agrippine laisse seules paraître, chacun devine ce qui est tu. L'inceste refoulé demeure sensible, à la façon d'une harmonique. La même remarque vaut pour Néron en qui le premier sursaut d'indépendance, le premier caprice infidèle sont moins inquiétants en eux-mêmes que par les sombres profondeurs qu'ils laissent immédiatement entrevoir. (Le style tire même la plupart de ses beautés de tels effets de transparence, révélant, comme dit Tacite, les « vices encore cachés » auxquels Narcisse « s'accommodait merveilleusement ».) Toute cette complexité sous-jacente, dont le poète se joue allusivement, n'empêche pas une structure simple de s'affirmer. Conforme en gros aux données historiques, elle oppose une fixation passée, tenue pour morale, à une libération amoureuse, tenue pour criminelle.

Étudions sommairement la dynamique du conflit. Laissant de côté, pour l'instant, Burrhus et Narcisse, nous donnerons à Néron la place centrale, selon la disposition suivante :

Agrippine Néron Junie-Britannicus

exactement superposable à celle de la tragédie précédente :

Hermione Pyrrhus Andromaque-Astyanax

Un mouvement spontané, immoral, entraîne le héros de la femme dominatrice, à laquelle il échappe, vers la femme captive, qu'il désire ; la résistance combinée des deux femmes, l'une happant, l'autre repoussant, tend à ramener le héros en arrière.

Ch. Mauron, *L'Inconscient dans l'œuvre et la vie de Jean Racine*, Corti, 1969, pp. 71-72.

E) JUNIE HÉROÏNE TRAGIQUE

Comme Bénichou, Barthes ou Mauron, Lucien Goldmann insiste sur l'ancrage du théâtre racinien dans la vision du monde janséniste. Ce qui l'amène à réévaluer le personnage de Junie dont il fait le véritable « héros tragique » de la pièce.

Sur scène, deux personnages : au centre, *le monde* composé de fauves — Néron et Agrippine —, de fourbes — Narcisse —, de gens qui ne veulent pas voir et comprendre la réalité, qui tentent désespérément de tout arranger par des illusions semi-conscientes — Burrhus —, de victimes pures, passives, sans aucune force intellectuelle ou morale — Britannicus. À la périphérie, *Junie, le personnage tragique*, dressé contre le monde et repoussant jusqu'à la pensée du moindre compromis. Enfin, le troisième personnage de toute tragédie, absent et pourtant plus réel que tous les autres : *Dieu*.

[...]

Si Britannicus était le personnage principal de la pièce, si son histoire en était le véritable sujet, celle-ci devrait finir avec sa mort. C'est ce qu'ont d'ailleurs pensé certains critiques du vivant de Racine, puisqu'il leur a répondu dans les deux préfaces. « Tout cela est inutile, disent-ils, la pièce est finie avec le récit de la mort de Britannicus et l'on ne devrait pas écouter le reste. On l'écoute pourtant et même avec autant d'attention qu'aucune fin de tragédie. »

Comme d'habitude, la raison que donne le théoricien Racine pour défendre la pièce est insuffisante, mais l'instinct du poète est sûr et rigoureux. Car, dans la pièce, Britannicus *n'est qu'un des multiples personnages qui constituent le monde ; sa mort n'est qu'un épisode dont la seule importance est de déclencher le dénouement.*

Le sujet de *Britannicus* est le conflit entre *Junie et le monde* et la pièce *ne se terminera qu'avec le dénouement de ce conflit.* C'est pourquoi, Racine, qui avait si facilement modifié, de lui-même, la première version du dénouement d'Andromaque, n'a jamais accepté, et probablement n'a pas même envisagé, malgré tous les critiques, de supprimer ou de modifier une scène qui était non seulement importante et organiquement liée à l'ensemble de la pièce, mais qui en constituait le véritable dénouement.

L. Goldmann, *Le Dieu caché*,
Gallimard, 1956, pp. 363 et 367.

BIBLIOGRAPHIE

Éditions :

Œuvres complètes, R. Picard, Gallimard, coll. « La Pléiade », Paris, 1951-1952 ; et P. Clarac, Le Seuil, coll. « L'Intégrale », Paris, 1962.

Théâtre complet, J. Morel et A. Viala, Garnier, Paris, 1980.

Études :

ADAM A., *Histoire de la littérature française au XVIIe siècle*, tome IV, Del Duca, Paris, 1954.

BACKES J., *Racine*, Le Seuil, Paris, 1978.

BARTHES R., *Sur Racine*, Le Seuil, Paris, 1963 : coll. Points, 1979.

BENHAMOU A.F., *Britannicus et la Salamandre*, Solin, Paris, 1981.

BÉNICHOU P., *Morales du grand siècle*, Gallimard, Paris, 1948 ; rééd. dans la collection Folio Essais.

BUTLER Ph., *Baroque et classicisme dans l'œuvre de Racine*, Nizet, Paris, 1958.

DESCOTES M., *Les Grands Rôles du théâtre de Jean Racine*, P.U.F., Paris, 1957.

DOUBROVSKY S., « L'Arrivée de Junie dans *Britannicus* », *Littérature*, n° 32, Paris, 1978.

GOLDMANN L., *Le Dieu caché*, Gallimard, Paris, 1956.

KUENTZ P., « Lecture d'un fragment de *Britannicus* », *Langue française*, n° 7, Paris, 1970.

MAULNIER Th., *Racine*, Gallimard, Paris, 1935.

MAURON Ch., *L'Inconscient dans l'œuvre et la vie de Jean Racine*, Corti, Paris, 1969 ; rééd. Champion-Slatkine, Paris-Genève, 1986.

MOREL J., *La Tragédie*, Armand Colin, Paris, 1964.

PICARD R., *La Carrière de Jean Racine*, Gallimard, Paris, 1956.

SCHERER J., *La Dramaturgie classique en France*, Nizet, Paris, 1950.
STAROBINSKI J., « Racine et la poétique du regard », in *L'Œil vivant*, Gallimard, Paris, 1961.
TRUCHET J., *La Tragédie classique en France*, P.U.F., Paris, 1976.
VINAVER E., *Racine et la poésie tragique*, Nizet, Paris, 1963.

SCÉNOGRAPHIE

1669, 13 décembre. Première représentation de *Britannicus* à l'hôtel de Bourgogne. Le succès n'est pas au rendez-vous. Le hasard avait fait que ce même jour on exécutait un noble en Place de Grève : pour beaucoup d'amateurs de théâtre ce type de « spectaculaire » l'emporta sur l'autre. De plus, dans la salle même, les ennemis de Racine, dont Corneille, exprimèrent par des murmures discrets, mais audibles, leur désapprobation. La pièce n'eut que sept représentations. Pour l'époque, c'était un échec. Mais Racine eut sa revanche l'année suivante, avec l'édition de sa pièce qui toucha un public nouveau, moins partisan que le clan cornélien et qui fut sensible à la beauté de la composition et du vers raciniens. Et, atout majeur, *Britannicus* fut représenté devant le roi qui donna le signal des applaudissements... Après la Cour, la Ville suivit. Enfin, la même année, le triomphe de la *Bérénice* racinienne sur le *Tite et Bérénice* cornélien mit un terme au conflit. Le public avait fait son choix : Racine succédait à Corneille.

Sur le jeu des acteurs de 1669 nous n'avons pas d'indication précise. La Des Œillets, qui avait créé le personnage d'Hermione dans *Andromaque*, jouait le rôle d'Agrippine, et le célèbre Floridor, celui de Néron. La seule chose dont nous soyons sûrs (cf. Préface), c'est que le couple central de la pièce était alors celui de Junie et Britannicus. À cette époque (encore et sinon plus au XVIIIe siècle), on aimait pleurer au théâtre, et c'était lui le couple attendrissant. Aujourd'hui on a du mal à l'imaginer, mais l'attente du public en 1669 était bien différente de celle de notre époque. Boursault raconte à propos de Floridor que « tout le monde souffrait de lui voir représenter Néron et d'être obligé de lui vouloir du mal ». Comme le dit M. Descotes : « On aurait tort de s'imaginer ce public, dans sa majorité, comme composé d'esthètes ; il était encore tout primitif, et de nombreux spectateurs, comme ceux du Paradis [1] au XIXe siècle, prenaient avec véhémence parti contre le traître du mélodrame [2]. » Autre anecdote qui va dans le même sens : quand Baron, l'ancien élève de Molière, lui aussi très apprécié du public, voulut jouer Néron, le roi lui-même s'y opposa. Il jouerait Britannicus et non le monstrueux Néron ! Baron, têtu, et qui avait une autre opinion que le public moyen de son époque de ce que pouvait être un « beau rôle », réussira quand même plus tard à jouer Néron !

C'est surtout à partir du XIXe siècle que le centre de gravité de la pièce pour le public va se déplacer du côté du couple Néron-Agrippine. Et dans ce couple, au XXe siècle, c'est Néron qui passera au premier plan. Le premier comédien à avoir amorcé cette réévaluation du rôle de Néron a été Lekain, le plus grand acteur tragique français du XVIIIe siècle. Son interprétation, en 1757, frappa beaucoup les spectateurs par sa force et sa nouveauté. Mais il fit subir au personnage une mutation importante, qui malheureusement devint ensuite une tradition de jeu dont on retrouve les traces jusqu'à nos jours (par exemple, chez J.-P. Miquel, cf. plus loin) : il fit de Néron un tyran consommé, déjà endurci dans la débauche et le crime, en bref il lui enleva ce sur quoi Racine est pourtant assez clair, dans ses préfaces comme dans le texte de la tragédie : sa *jeunesse*. Avec Lekain, Néron n'est plus un « monstre naissant » qui « est ici dans les premières années de son règne qui ont été heureuses comme l'on sait » (2e préface), et cela change fondamentalement le rôle. Lekain, à qui on en faisait la remarque, répondait qu'il lui était « impossible de descendre à l'âge de Néron », et qu'il lui fallait donc « faire monter Néron jusqu'à [son] âge » ! Réponse bien désinvolte, mais le Néron qu'il avait créé plaisait au public. Entre autres parce qu'il correspondait au « mythe littéraire » qu'était devenu Néron (cf. plus loin), c'est-à-dire le matricide, l'incendiaire de Rome, etc., tout ce que connaissait parfaitement déjà le public de Racine. Mais, justement, Racine avait voulu lui montrer un Néron d'avant le Néron mythique (tout en jouant sur le savoir de son public sur le Néron qui allait suivre). Autre « monstre sacré » de la tragédie, Talma (1763-1826) reprit le jeu de Lekain et y triompha. Après lui, les grands tragédiens, Mounet-Sully (1841-1916) et De Max (1869-1924), par exemple, restèrent dans le même registre.

1. La galerie la plus élevée au théâtre où les places sont le moins chères (on dirait aujourd'hui, le « poulailler »).
2. Cf. Bibliographie, *op. cit.*, p. 73.

Le rôle d'Agrippine pose d'autres types de problèmes. Le premier étant son importance « quantitative » (plus de 450 vers) et l'intensité extrême de beaucoup de scènes qui la concernent. Le second est la difficulté même du rôle, qui, comme le dit très bien M. Descotes, « se complique de tant de nuances que l'interprète se trouve placée, comme souvent avec Racine, devant la nécessité de concilier des exigences opposées : grandeur et familiarité, violence et faiblesse [1] ». D'après les témoignages qui nous sont parvenus, il semble que très peu de tragédiennes soient parvenues à cet équilibre instable. On ne sait pratiquement rien sur l'interprétation d'Agrippine au XVIIe siècle. En 1737, Mlle Dumesnil y rencontra un vif succès, mais, semble-t-il, en tirant beaucoup son jeu du côté de l'emploi de la *mère tragique*, avec tout le pathétique qui y est rattaché. En 1752 la Clairon surprit puis enthousiasma son public en prenant le contrepied de Mlle Dumesnil, de ses emportements et de son théâtralisme. En 1847, Rachel déçut ses admirateurs. On lui reprocha sa trop grande jeunesse, alors qu'elle avait l'âge du rôle (trente-six ans). Ce reproche est intéressant car il implique (toujours aujourd'hui pour beaucoup de spectateurs) une vision du personnage en femme âgée, ce qui n'a rien d'évident. De même on commencera par refuser le rôle de Phèdre à Rachel, lorsqu'elle avait vingt et un ans, avec le même argument, alors que le personnage est une toute jeune femme. Mlle George (1787-1867), qui avait échoué dans Phèdre, triompha dans Agrippine, mais sans doute en misant tout sur la dimension majestueuse, impériale du rôle.

Quelques mises en scène contemporaines

Dans la première moitié du XXe siècle, c'est globalement la même tradition de jeu qui prévaudra pour Néron et Agrippine qui ont maintenant éclipsé le couple pathétique et tendre de Junie et Britannicus. Au début du siècle, Antoine avait tenté d'innover en faisant jouer la pièce avec deux jeunes comédiennes dans les rôles de Néron et Britannicus (Mlle Ventura et Mlle Pascal). Mais sans succès. On lui reprocha l'air de trop grande jeunesse donné ainsi à Néron. Une fois de plus le préjugé sur l'âge avait joué. Cela dit, on pouvait s'étonner, à plus juste titre, de l'emploi du travesti, dont la nécessité n'est pas évidente (Sarah Bernhardt avait lancé la mode dans *Lorenzaccio*, en 1896, et Marie Ventura jouera elle aussi Lorenzo en 1934-1935).

1. *Op. cit.*, p. 67.

Depuis la dernière guerre on a beaucoup joué *Britannicus*, qui est devenu aussi l'un des « classiques » raciniens les plus étudiés. On évoquera, ci-après, quelques-unes de ces mises en scène et les réponses qu'elles ont apportées aux problèmes d'interprétation posés dans les siècles précédents.

En 1951, Jean Marais, devenu une célébrité à l'écran, et qui avait déjà interprété sur scène le Néron de *Britannicus* peu après la Libération, est sollicité pour reprendre le rôle à la Comédie-Française. C'est un événement, surtout sur une telle scène. C'est Jean Marais qui réalise lui-même les décors et les costumes, style « la romanité vue par un grand couturier », comme dit Jean Dumur. Il a en face de lui Marie Bell, en Agrippine, qui l'écrase de son talent de tragédienne. L'événement sera finalement plus mondain que théâtral.

En 1961, à la Comédie-Française, Robert Hirsch, extraordinaire acteur comique, joue pour la première fois Néron, dans une mise en scène de Michel Vitold. Il en fait un psychopathe hystérique, d'une théâtralité fascinante. Mais, dans la lignée de ses grands prédécesseurs, Mounet-Sully et De Max, il ne joue en rien un « monstre naissant ». Il ne joue pas, pour reprendre la formulation d'A. Adam, un « jeune homme infiniment beau et gracieux [...] tel que le voit Racine » (cf. plus haut), mais un homme précocement mûri par la débauche et le crime, un monstre abouti. Un superbe Néron, néanmoins, même s'il n'est pas racinien.

En 1978, sur la même scène, J.-P. Miquel nous donne sa version de la pièce. Dans une interview, il déclare, dans le classique, s'être surtout consacré à Corneille et, pour Racine « ne pas comprendre grand-chose » au « long cortège critique qui accompagne maintenant » cet auteur. Débarrassé des commentaires, Miquel aborde donc Britannicus avec une âme neuve, peut-être un peu « naïve »... Il y voit « l'histoire d'une prise de pouvoir », ce qui est juste mais n'est pas *toute* la pièce, et il définit ainsi le scénario qu'il a voulu mettre en scène : « Néron déclenche un plan mûrement réfléchi pour prendre le pouvoir en plusieurs temps, à l'intérieur d'une durée très courte [...]. Le plan de Néron est prodigieusement intelligent, efficace et rapide. » Néron y est joué par Jean-Luc Boutté, Agrippine par Denise Gence, Britannicus par Francis Huster, Junie par Ludmila Mikaël. Le spectacle est remarquable de cohérence. Du point de vue scénographique il a resitué le cadre de l'action dans une modernité XXe siècle entre-deux-guerres. C'est efficace. Mais ce n'est pas la pièce de Racine. Sans le savoir — se passer de l'« histoire » des pièces anciennes que l'on met en scène aujourd'hui a peut-être des avantages, mais aussi des inconvénients —, Miquel retombe dans les travers et contresens du XIXe siècle (si on veut bien admettre que les tragédies raciniennes ont un sens !). Une fois de plus Néron n'est pas un « monstre naissant » mais un machiavélien averti sinon blasé. L'intérêt (et l'efficacité) de la direction d'acteurs de J.-P. Miquel tient au fait qu'il va jusqu'au bout. Ainsi la célèbre scène (II, 2) où Néron raconte à Narcisse l'enlèvement de Junie est dite par Jean-Luc Boutté sur un ton froid et distancié qui signifie à peu près : « Voici la version officielle à diffuser : Néron aime Junie. Mais bien sûr, la vérité est que Néron n'"aime" Junie que par pure politique : elle descend d'Auguste, il faut donc que ce soit Néron qui l'épouse et non Britannicus. » Miquel assimile ici Néron à un Richard III dont les stratégies amoureuses ne sont que politiques. Mais le texte racinien résiste à cette lecture sur bien des points. Un seul exemple : pourquoi Néron est-il désespéré, proche du suicide, à la fin de la pièce ? Britannicus est mort, Junie chez les Vestales, où est le couple qui pourrait lui contester le pouvoir ? Il est évident que Junie ne représentait pas pour Néron qu'une union politique. Deux ans auparavant, le Néron de Miquel, J.-L. Boutté, dans une mise en scène de *Lorenzaccio* par Zefirelli, avait admirablement joué le duc Alexandre. Mais, même s'il s'agit de deux tyrans, quelle distance entre le Néron de Racine, tyran encore balbutiant, et l'Alexandre de Médicis de Musset, tyran fatigué et sans doute obscurément travaillé par la pulsion de mort !

Au-delà de ce cas précis, qui demeure, malgré les critiques qu'on peut (doit) lui faire, une importante mise en scène de *Britannicus*, est posé le problème plus général dont la solution n'est pas évidente : comment lire, interpréter, représenter un théâtre qui n'est pas de notre époque, de notre culture ?... Jusqu'à quel point pouvons-nous faire abstraction de cette époque, de cette culture pour y substituer les nôtres ? Que veut dire, à la fin du XXe siècle, « trahir » Racine, ou « lui être fidèle » ?

En 1979, Gildas Bourdet, animateur à Tourcoing du Théâtre de la Salamandre, met en scène *Britannicus*, qui sera repris en 1980 à l'Odéon. Comme Miquel, Bourdet privilégie la dimension politique de la pièce, mais sans renoncer aux autres. Dans un décor et avec des costumes XVIIe-XVIIIe siècle, qui « suggèrent » une époque sans la « représenter » (certains détails, un radiateur par exemple, excluent toute mimesis réaliste), c'est à la représentation de la prise du pouvoir par Néron-Louis XIV que le spectateur est convié. Mais ce Néron louis-quatorzien

(Jacques Bonnaffé) n'est pas le monstre froid de Miquel. Il est un adolescent encore fragile, tenté par la régression œdipienne, toujours sensible au chantage affectif des « adultes » (Agrippine ou Burrhus). Mais Narcisse saura déjouer cette emprise et lui faire miroiter que la liberté, l'accession à l'âge adulte, passent par l'acceptation de la tyrannie, avec tout ce qu'elle implique. Le spectacle a eu un succès mérité, même si certains lui ont reproché de tirer plus du côté du drame que de la tragédie [1].

En 1989, au Grand Théâtre de la Cité Internationale, la jeune compagnie du Fleuve joue *Britannicus*, mis en scène par Bernard Pigot. Spectacle à la fois sobre et vibrant, centré sur Néron. Que choisira Néron ? Le passage de l'adolescence à l'âge adulte se fait devant nous et le choix (?) néronien, sa naissance à la monstruosité nous pose la vieille question : « Qu'est-ce que le bien et qu'est-ce que le mal ? » Un beau spectacle qui n'a pas reculé devant la difficulté, à notre époque, de retrouver le questionnement tragique qui fait que les plus grandes tragédies, si éloignées de nous soient-elles, tendent à l'universel.

En 1991, Alain Françon crée la pièce au Théâtre du VIIIe de Lyon. Elle sera reprise aux Amandiers de Nanterre en 1992. Françon joue plus sur les heurts individuels, en particulier entre les deux « fauves » : « Comment une mère orgueilleuse et ambitieuse apprend douloureusement à perdre tout pouvoir sur son fils ; comment celui-ci s'efforce violemment de se séparer d'elle et de devenir adulte » (F. Pascaud). Laurent Grevill, qui incarne Néron, définit ainsi son personnage : « Je vois en Néron un gosse effrayant, de ceux dont on dit : "Quand on voit la mère on voit le fils." Il n'est pas monstrueux ; il est le fils de cette femme. » Nada Strancar joue Agrippine. Son dernier rôle avait été Gertrude, la mère d'Hamlet, dans la mise en scène de Chéreau. Françon a habillé de noir Néron, comme Hamlet. Ce n'est peut-être pas un hasard. Dans l'Empire romain, « il y a quelque chose de pourri », comme dans le royaume de Danemark. Le décor de J. Gabel, un palais délabré, va dans ce sens. En 1601, Hamlet, avant la célèbre scène d'affrontement avec sa mère (III, 4), se souviendra du « mythe » néronien dans l'apostrophe qu'il se lance à lui-même : « Ne laisse jamais l'âme de Néron entrer dans ta poitrine ! » La mère n'en mourra pas moins.

1. Sur cette mise en scène, les choix esthétiques et idéologiques qui la sous-tendent, on peut lire l'analyse détaillée qu'en fait A.F. Benhamou (cf. bibliographie).

TABLE DES MATIÈRES

Cet ouvrage a été composé
par
TÉLÉ-COMPO - 61290 BIZOU

Achevé d'imprimer
par Maury-Eurolivres S.A.
45300 Manchecourt

Imprimé en France
Dépôt légal : avril 1993

OUVRAGES DE LA COLLECTION « LIRE ET VOIR LES CLASSIQUES »

HONORÉ DE BALZAC
Les Chouans
Le Colonel Chabert
Eugénie Grandet
La Femme de trente ans
Histoire des treize
Illusions perdues
Le Lys dans la vallée
La Peau de chagrin
Le Père Goriot
Splendeurs et misères des courtisanes
Une Ténébreuse Affaire (février 93)

CHARLES BAUDELAIRE
Les Fleurs du mal

BEAUMARCHAIS
Le Barbier de Séville/Le Mariage de Figaro/La Mère coupable (mai 93)

CHARLOTTE BRONTË
Jane Eyre

PIERRE CORNEILLE
Le Cid
Horace (avril 93)

ALPHONSE DAUDET
Contes du lundi
Les Lettres de mon moulin
Le Petit Chose

DENIS DIDEROT
Jacques le Fataliste

GUSTAVE FLAUBERT
L'Éducation sentimentale
Madame Bovary

THÉOPHILE GAUTIER
Le Capitaine Fracasse
Le Roman de la momie

MAURICE GENEVOIX
Le Roman de Renard

HOMÈRE
Odyssée

VICTOR HUGO
Les Contemplations
Les Misérables (trois tomes)
Notre-Dame de Paris
Quatre-vingt-treize

CHODERLOS DE LACLOS
Les Liaisons dangereuses

MADAME DE LA FAYETTE
La Princesse de Clèves

JEAN DE LA FONTAINE
Fables

LAUTRÉAMONT
Les Chants de Maldoror/Poésies

EUGÉNE LE ROY
Jacquou Le Croquant

JACK LONDON
Croc-Blanc

MACHIAVEL
Le Prince

GUY DE MAUPASSANT
Bel-Ami
Boule de Suif et autres récits de guerre
Contes de la bécasse et autres contes de chasseurs
Fort comme la mort (juin 93)
Le Horla
La Maison Tellier et autres histoires de femmes galantes
Pierre et Jean
Le Rosier de Madame Husson et autres contes roses (juin 93)
Une Vie

Prosper Mérimée
Carmen et autres histoires d'Espagne
Colomba, Mateo Falcone : Nouvelles corses

Molière
L'Avare (mars 93)
Le Bourgeois gentilhomme
Dom Juan
Le Malade imaginaire (mars 93)
Le Tartuffe

Charles de Montesquieu
Lettres persanes

Alfred de Musset
Lorenzaccio

Gérard de Nerval
Les Filles du feu

Nodier/Gautier/Mérimée
Récits fantastiques

Edgar Allan Poe
Histoires extraordinaires
Nouvelles histoires extraordinaires

Abbé Prévost
Manon Lescaut

Marcel Proust
Un amour de Swann (février 93)

François Rabelais
Gargantua

Jean Racine
Andromaque
Britannicus (mai 93)
Iphigénie (avril 93)
Phèdre

Raymond Radiguet
Le Diable au corps

Jules Renard
Poil de Carotte

Arthur Rimbaud
Œuvres

Edmond Rostand
Cyrano de Bergerac

Jean-Jacques Rousseau
Rêveries d'un promeneur solitaire

Bernardin de Saint-pierre
Paul et Virginie

George Sand
La Mare au diable
La Petite Fadette

Stendhal
Armance
La Chartreuse de Parme
Le Rouge et le noir

Stevenson
L'Île au trésor

Jules Vallès
L'Enfant

Jules Verne
Le Château des Carpathes
Michel Strogoff
Le Tour du monde en quatre-vingts jours
Vingt mille lieues sous les mers
Voyage au centre de la terre

Voltaire
Candide et autres contes
Zadig et autres récits orientaux

Oscar Wilde
Le Portrait de Dorian Gray

Émile Zola
L'Assommoir
La Bête humaine
Au Bonheur des dames
La Curée
La Fortune des Rougon
Germinal
La Joie de vivre
Nana
L'Œuvre
Pot-Bouille
Thérèse Raquin
Le Rêve
Le Ventre de Paris